Gstaad
Saanenland

Ruth L. Aebi

Gstaad Saanenland

AT Verlag Aarau · Stuttgart

Umschlag:
Sonnenuntergang
im Spätherbst

Papier:
Baumgartner
weiss matt gestrichen
Versailles

Einband:
Schumacher AG, Schmitten

Schrift:
9 Punkt Univers

© *1983*
by AT Verlag Aarau/Stuttgart

Umschlag: AT Grafik
Entwurf, Bearbeitung
und Realisation:
Atelier zur Halde, Aarau
Panorama:
Brügger AG, Meiringen
Gesamtherstellung:
Grafische Betriebe
Aargauer Tagblatt AG, Aarau

Übersetzungen:
Interserv AG, Zürich

Printed in Switzerland

ISBN 3-85502-170-8

Dieses Buch konnte nur mit der Unterstützung einer breiten Öffentlichkeit verwirklicht werden. Ich möchte mich bei allen, die mir in irgendeiner Form bei der Realisierung dises Buches geholfen haben, ganz herzlich bedanken.

Mein spezieller Dank gilt: dem Verkehrsverband Saanenland, den Gesamtgemeinderäten der Einwohnergemeinden Saanen, Gsteig und Lauenen; den Verkehrsvereinen Gstaad, Saanen, Saanenmöser und Schönried; den Banken des Saanenlandes: Kantonalbank von Bern, Schweizerischer Bankverein, Schweizerische Kreditanstalt, Saanen Bank, Spar- und Leihkasse Thun; den Bergbahnen Saanenmöser—Saanerslochgrat, Schönried—Horneggli, Schönried—Rellerligrat; der Direktion Montreux—Berner Oberland-Bahn, Montreux, dem Organisationskomitee des Internationalen Tennisturniers Swiss Open Gstaad; der Vereinigung der Bergbahnen von Gstaad und Umgebung; der Brügger AG, Meiringen; Herrn Geoffrey E. Fowle, Schönried; Herrn Hans Gallati, Aarau; Herrn Bruno Gerber, Geschäftsführer, Zweisimmen; Herrn Gottlieb Gyger, Gemeinderats-Vizepräsident, Lebensmittelgeschäft, Schönried; Herrn Beat Müller, Müller AG, Sägerei und Hobelwerke, Saanen; Frau Liselotte Nopper, Hotel Christiania, Gstaad; Herrn Edwin Oehrli, Backerei, Gstaad; Herrn Hans Reichenbach, Hans Reichenbach AG, Chaletbau, Gstaad; Herrn Arnold Schopfer, Gemeindepräsident, Saanen; H. R. Schmalz AG, Bauunternehmung Zweisimmen; Herrn Walter von Siebenthal, Gemeinderat, Saanenmöser; Herrn Georges Tauxe, Kurdirektor, Gstaad; Herrn Erwin Teuscher, Gemeinderatspräsident, Saanen; Herrn Arnold Zingre, Schönried, sowie den Mitarbeitern des Verlages.

Patronat:
Verkehrsverband Saanenland

This book could not have been written without the support of a great many people. I would like to thank, most sincerely, all of those who helped me in any way to write this book.

I would like to extend my special appreciation to the following: the Saanenland Tourist Association; the Joint Communal Councils of the residential communes of Saanen, Gsteig, and Lauenen; the Tourist offices of Gstaad, Saanen, Saanenmöser and Schönried; the following banks in the Saanenland: the Cantonal Bank of Berne, Swiss Bank Corporation, Swiss Credit Bank, Saanen Bank, Spar- und Leihkasse Thun; the Saanenmöser–Saanerslochgrat, Schönried–Horneggli and Schönried–Rellerligrat cable lift operators; the management of the Montreux-Berner-Oberland-Bahn, Montreux; the organizing committee of the Swiss Open International Tennis Tournament, Gstaad; Vereinigung der Bergbahnen von Gstaad und Umgebung; Brügger AG, Meiringen; Mr. Geoffrey E. Fowle, Schönried; Mr. Hans Gallati, Aarau; Mr. Bruno Gerber, Zweisimmen; Mr. Gottlieb Gyger, Grocer, Schönried and Vice-Chairman, Communal Council, Saanen; Mr. Beat Müller, Müller AG, Sawmill, Saanen; Mrs. Liselotte Nopper, Hotel Christiania, Gstaad; Mr. Edwin Oehrli, Baker and confectioner, Gstaad; Mr. Hans Reichenbach, Hans Reichenbach AG, Chaletbau, Gstaad; Mr. Arnold Schopfer, Chairman of the Commune of Saanen; H. R. Schmalz AG, Contractor, Zweisimmen; Mr. Walter von Siebenthal, Communal Councillor, Saanenmöser; Mr. Georges Tauxe, Tourist Office manager, Gstaad; Mr. Erwin Teuscher, Chairman, Communal Council, Saanen; Mr. Arnold Zingre, Schönried; and the publisher.

Sponsorship:
Saanenland Tourist Association

Cet ouvrage n'a été réalisable que grâce au soutien d'un large public. Je tiens à remercier ici tous ceux qui ont contribué d'une façon ou d'une autre à sa parution.

Je m'adresse en particulier à l'Association touristique du Saanenland, aux autorités des communes de Saanen, Gsteig et Lauenen, aux Syndicats d'initiative de Gstaad, de Saanen, de Saanenmöser et de Schönried, aux établissements bancaires du Gessenay: la Banque cantonale de Berne, la Société de Banque suisse, le Crédit suisse, la Saanen Bank et la Caisse d'Epargne et de Prêt de Thoune, aux Funiculaires Saanenmöser–Saanerslochgrat, Schönried – Horneggli et Schönried–Rellerligrat, à la direction du chemin de fer Montreux–Oberland Bernois à Montreux, au comité faîtier du tournoi international de tennis Swiss Open Gstaad, à l'Association des remontées mécaniques de Gstaad et Environs, à Brügger SA à Meiringen, à Monsieur Geoffrey E. Fowle à Schönried, à Monsieur Hans Gallati à Aarau, à Monsieur Bruno Gerber, à Zweisimmen, à Monsieur Gottlieb Gyger, conseiller communal, comestibles à Schönried, à Monsieur Beat Müller, Müller AG, scierie à Saanen, à Madame Liselotte Nopper, hôtel Christiania à Gstaad, à Monsieur Edwin Oehrli, boulangerie et confiserie à Gstaad, à Monsieur Hans Reichenbach, Hans Reichenbach AG, Chaletbau à Gstaad, à Monsieur Arnold Schopfer, président de la commune de Saanen, à H.R. Schmalz AG, constructions à Zweisimmen, à Monsieur Walter von Siebenthal, conseiller communal à Saanenmöser, à Monsieur Georges Tauxe, directeur de l'office de tourisme à Gstaad, à Monsieur Erwin Teuscher, président du conseil communal de Saanen, à Monsieur Arnold Zingre à Schönried et à tous ceux qui ont participé à l'édition de cette plaquette.

Patronat:
L'Association touristique du Saanenland

9
Winterzauber in Lauenen
Winter wonderland in Lauenen
Féerie hivernale à Lauenen
Incantesimo invernale a Lauenen
Encanto invernal en Lauenen

10
«Mühlehaus», Lauenen

Saanenland
Gessenay

Als der Allmächtige das Saanenland schuf, presste er seine Hand kräftig auf die Erde. Dort, wo die Handfläche auflag, stehen heute die Dörfer Saanen und Gstaad. Aus der Einbuchtung des kleinen Fingers wurde das Kalberhöni, der Ringfinger kerbte das Tal für die Gemeinde Gsteig, der Mittelfinger ist verantwortlich für das Lauenen-, der Zeigefinger für das Turbachtal, und der Daumen glättete den Boden für Schönried und Saanenmöser. So erzählt es die Sage.

When God created the Saanenland, He pressed His hand firmly against the earth. The print of His palm is where the towns of Saanen and Gstaad stand today. The little finger formed the Kalberhöni, the ring finger cut out the valley for the community of Gsteig, the middle finger is responsible for the Lauenen Valley and the index finger for the Turbach Valley, the thumb smoothed the ground for Schönried and Saanenmöser. That's how the story goes.

Pour créer ce bout de pays, Dieu a frappé la terre du plat de la main. Dans l'empreinte de la paume se trouvent les villages de Saanen et de Gstaad. L'auriculaire a donné le Kalberhöni, l'annulaire, le val de Gsteig, le majeur, celui de Lauenen, l'index, le Turbachtal et le pouce, la plaine de Schönried et de Saanenmöser.

Saanen, im Hintergrund Gstaad mit Gifferhorn und Wasserngrat

View of Saanen, with Gstaad in the background showing the Gifferhorn and Wasserngrat

Saanen. Plus loin, Gstaad, le Giffer-horn et le Wasserngrat

Saanen, sullo sfondo Gstaad con Gifferhorn e Wasserngrat

Saanen. Al fondo, Gstaad, el Giffer-horn y el Wasserngrat

Das Saanenland liegt im westlichsten Zipfel des Berner Oberlandes. Es grenzt an die Kantone Freiburg, Waadt und Wallis. Das über 240 km² grosse Gebiet ist von der Berner Seite her durch das Simmental erreichbar. Vom Westen her stehen die Zufahrten Bulle–Château d'Oex und Col des Mosses–Château d'Oex zur Wahl. Ab Aigle führt die Strasse über den Col du Pillon nach Gsteig. Die Übergänge Reulisen, Sanetsch und Trüttlisberg kennen vor allem tüchtige Wanderer.

Das Saanenland – auch Sonnenland genannt – zeichnet sich durch die breite offene Talschaft aus. Im Norden, Westen und Osten bilden Voralpen die Grenze, im Süden etwas weiter entferntere Dreitausender. Das Saanenland umfasst die Gemeinde Saanen mit dem Hauptort Saanen, den Dörfern Gstaad, Schönried, Saanenmöser, den bewohnten Tälern Turbach, Kalberhöni und Abländschen, sowie die angrenzenden Gemeinden Lauenen und Gsteig.

Das Wasser der Saane entspringt am Fusse des Tsanfleurongletschers auf dem Sanetsch, im Einzugsgebiet des Oldenhorns, durchfliesst zuerst Gsteig, das hinterste Dorf des Tales, passiert Feutersoey, erreicht Gstaad und zieht, bereichert durch den Turbach und den Lauibach, weiter nach Saanen. Hier wendet sich der Fluss nach Westen ab, verlässt den Kanton Bern durch die Talenge bei der Schlucht Vanel, fliesst durch das Welschland und wird dort zur Sarine.

Saanenland is located at the western corner of the Bernese Oberland. It adjoins the Cantons of Fribourg, Vaud and Valais. The territory, measuring more than 240 km², can be reached from Bern through the Simmental. From the west it is accessible via Bulle and Château d'Oex or via the Col des Mosses and Château d'Oex. From Aigle, a road leads over the Col du Pillon to Gsteig. The Reulisen, Sanetsch and Trüttlisberg passes are used primarily by skilled hikers.

Saanenland, also called Sonnenland (sun land), is characterized by a broad open valley terrain. To the north, west, and east, it is bordered by alpine foothills, while peaks 3000 meters high are a short distance away to the south. Saanenland includes the commune of Saanen with its capital of the same name, the town of Gstaad, the villages of Schönried, and Saanenmöser, the populated valleys of Turbach, Kalberhöni, and Abländschen, as well as the adjoining communes of Lauenen and Gsteig.

The waters of the Saane rise at the foot of the Tsanfleuron Glacier on the Sanetsch in the Oldenhorn catchment area, then flow first through Gsteig, the village furthest up the valley, then through Feutersoey, reaching Gstaad and continuing on to Saanen, swelled by the Turbach and the Lauibach brooks. Here the river turns west, leaving the Canton of Bern through the defile in the Vanel Gorge, and flows into the French-speaking region of Switzerland, where it becomes the Sarine.

Le Gessenay est situé tout à fait à l'ouest de l'Oberland bernois et touche les cantons de Vaud, de Fribourg, et du Valais. On atteint ce territoire de plus de 240 km² par le Simmental, en venant de Berne, et par deux couloirs à choix, en venant de l'ouest: la route Bulle–Château d'Oex et le Col des Mosses–Château d'Oex. D'Aigle, le Col du Pillon mène à Gsteig; les passages de Reulisen et du Trüttlisberg sont toujours plus appréciés par les excursionnistes.

Le Gessenay, appelé aussi le Pays du Soleil, est une vallée largement ouverte. Au nord, à l'est et à l'ouest les préalpes ont une fonction protectrice. Au loin, vers le sud, les sommets qui touchent les 3000 mètres offrent un panorama grandiose. Trois communes forment le «Pays du Soleil»: celle de Saanen qui comprend le village du même nom, Gstaad, Schönried, Saanenmöser, ainsi que les vallées peuplées du Turbach, de Kalberhöni et d'Abländschen, celle de Lauenen et celle de Gsteig.

Les eaux de la Sarine naissent au pied du glacier de Tsanfleuron, au Sanetsch, dans le massif de l'Oldenhorn. Encore tumultueuses, elles traversent Gsteig, le village le plus reculé de la vallée, Feutersoey et Gstaad pour se calmer et se gonfler du Turbach, du Lauibach, puis atteindre, rapides encore, la petite ville de Saanen. Là, la Sarine fait un coude vers l'ouest pour quitter le canton de Berne par la gorge étroite de Vanel et prend son nom romand puisque, plus haut, elle s'appelle Saane.

17

Das Verkehrsbüro ist für Sie da!

The tourist office is at your service

L'office du tourisme, toujours accueillant

L'Ufficio del turismo è a vostra disposizione!

La oficina de turismo se encuentra a su disposición

18

Land der tausend Möglichkeiten
Land of a thousand opportunities
Le pays aux mille possibilités
Il paese delle mille possibilità
País de las mil posibilidades

Region im Aufwind
Region on the Rise
Une région en plein essor

Die Anfänge des Tourismus
The Beginnings of Tourism
Les débuts du tourisme

Das Reisen, von jeher eine Faszination für den Menschen, galt in der Schweiz bereits Mitte des 16. Jahrhunderts als Tourismus. Das allerdings war im Unterland. In den Berggegenden erregte ein Fremder zu der Zeit noch Aufsehen. Bald aber hiess es: «Die Besucher sind nun nicht mehr lediglich jene um realen Gewinnes wegen Kommende. Es können jetzt auch solche Gäste verzeichnet werden, die des Landes und seiner Naturschönheiten wegen sich einstellen.» Nicht in jedem Fall, wie die Saaner 1586 erlebten, als ein Wegfahrer die Leute derart betrog, dass ihm der Kastlan nachsetzen liess.

Nach und nach fanden sich Touristen auch in den verschiedenen Oberländer Tälern ein.

Der eigentliche Wegbereiter war der Berner Arzt, Naturforscher und Dichter Albrecht von Haller. Er durchstreifte das Bergland in allen Richtungen. Sein Lehrgedicht «Die Alpen» (1732) erlangte grosse Berühmtheit. Das Los der Landsleute im Berner Oberland war damals alles andere als rosig. Nachdem die Pest abgeklungen war, wuchs die Bevölkerungszahl rasch an, und die Scholle vermochte die Menschen nicht mehr zu ernähren. Viele Oberländer suchten damals das Glück in der Fremde. Über das Saanenland berichtet die Chronik wenig, doch dürfte es von diesem Schicksal nicht verschont geblieben sein.

Die Geburtsstunde des Tourismus lässt sich auf ein Ereignis von grosser Bedeutung zurückführen: die Unterzeichnung des Hubertusburger Friedens auf dem kurfürstlich-sächsischen Jagdschloss 1763, der Hubertusburg. Durch ihn kam Europa zur Ruhe, ihm gelang, was die Behörden vergeblich versucht hatten, nämlich Verdienst in die Bergtäler zu bringen.

Als erste fanden sich die Engländer ein, welche einige Jahre später die Schweiz auch als Wintertouristenland entdeckten. Dem allgemeinen Trend der Zeit, in der Kur- und Badeaufenthalte besonders gefragt waren, konnte das Saanenland jedoch nicht gerecht werden. Die um 1700 entdeckte Schwefelquelle auf dem Badweidli war viel zu klein und wurde deshalb nur von den Einheimischen benutzt. War das Reisen bisher den Adelskreisen vorbehalten, so entwickelte es sich mehr und mehr zu allgemeiner Beliebtheit und erreichte im 19. Jahrhundert einen ersten Höhepunkt.

Erste Anzeichen des künftigen Tourismus reichen auf die Jahrhundertwende zurück. Damals entstanden im Ebnit das heutige Kinderheim Alpenblick als Pension von Grünigen, das Hotel Oldenhorn auf dem Oberbort bei Gstaad (heute Chalet Firo, Institut Le Rosey), und die Villa Stucki im Salzwasser (zwischen Saanen und Gstaad), heute als Flüchtlingsheim Alpenruhe bekannt. Bereits damals soll ein hübscher Prospekt für die aufblühende Region geworben haben. Am 1. August 1900 sollen laut Statistik rund 100 Gäste das Saanenland besucht haben.

Die Gasthäuser Rössli, Olden, Neueret und Bellerive in Gstaad und das Kreuz in Abländschen waren schon im 19. Jahrhundert bekannt. Der Bären in Gsteig datiert aus dem Jahr 1758, und das Baujahr des Landhauses in Saanen wird mit 1577 angegeben. Es diente allerdings nicht nur als Wirtshaus, sondern in erster Linie als Rats- und Gerichtsgebäude. Anfangs des 20. Jahrhunderts brach es unter der Schneelast zusammen und wurde 1908 wieder aufgebaut. Die Landhauswirte waren damals wie heute Pächter.

Hotellerie –
die Grundlage für den Tourismus
The hotel business—
foundation of tourism
L'hôtellerie –
pilier porteur d'un tourisme florissant
Il ramo alberghiero:
la base per il turismo
Hotelería, la base para el turismo

Die Eisenbahn – sicher und bequem
The railroads—reliable
and comfortable
Sûr et confortable, le chemin de fer
La ferrovia. Comoda e sicura
El ferrocarril, seguro y comodo

Dienst bei jedem Wetter
Service in any weather
En service par tous les temps
In servizio con qualsiasi tempo
Servicio en todas las condiciones
meteorológicas

Eine erste Ordnung über die Wirtschaftsbetriebe aus dem Jahr 1584 bewilligte für Saanen zwei Wirte und einen Weinschenk. Gstaad erhielt je einen Wirt und Weinschenk zugeteilt, Gsteig einen Wirt und Lauenen einen Weinschenk.

Das erste Jahrzehnt unseres Jahrhunderts brachte dem Saanenland eine heute fast unglaublich anmutende Entwicklung. Innerhalb von zehn Jahren entstanden 15 Hotels, sieben davon allein in Gstaad. 1904: Bernerhof in Gstaad (damals unter dem Namen Bahnhof bekannt), La Gare in Saanen und Bahnhof in Schönried. 1905: Saanerhof und Krone in Saanen. 1906: National-Rialto in Gstaad. 1907: Alpina in Gstaad und Alpenrose in Schönried. 1908: Bahnhof in Saanenmöser. 1909: Viktoria in Gstaad. 1910: Park in Gstaad und Sporthotel in Saanenmöser. 1913: Palace und Bellevue in Gstaad. In Gsteig entstanden Sanetsch, Viktoria und Oldenhorn, in Lauenen Bären, Wildhorn und später Geltenhorn. Von diesen Bauten stehen in Gstaad die Hotels Palace, Alpina, Bellevue, Park und National, in Saanenmöser Bahnhof und in Schönried Alpenrose noch in der Originalbauweise. Die übrigen Häuser wurden an-, um- oder neu gebaut.

Sind auch teilweise die äusseren Formen nicht verändert worden, haben die Hoteliers ihre Betriebe in jeder Hinsicht den Anforderungen der Gäste und ihrer Sicherheit, aber auch zeitgemässer Bewirtschaftung angepasst. Dabei ist aber die bemerkenswerte Tradition, die Hotels als Familienbetriebe zu führen, erhalten geblieben.

Das Bettenangebot wird mit rund 2000 Betten beziffert. Ein Teil davon ist als Wohnung mit hotelmässigem Service verfügbar. Weitere Betten werden von der Parahotellerie (Wohnungen in Privathäusern, Camping und Caravaning) angeboten, welche eine nicht zu unterschätzende Bedeutung hat.

Nach der enormen Entwicklung bis 1913 kamen in den folgenden Jahren nur noch spärlich neue Hotels dazu. 1923: Waldmatte in Schönried. 1938: Hornberg in Saanenmöser. 1962: Chesery in Gstaad. 1970: Alphorn in Gstaad und Rütti in Gstaad. Zwischen 1960 und 1970: Boo-Garni in Saanen. 1972: Arc-en-Ciel (Erweiterung) in Gstaad. 1980: Ermitage (Erweiterung) in Schönried und Gstaaderhof in Gstaad. 1981: Alpin Nova in Schönried und Steigenbergerhotel Sonnenhalte in Saanen. Zwischen 1973 und 1983: Cabana (Erweiterung) in Saanen. Nicht mehr als Hotel verfügbar sind nebst den bereits erwähnten Häusern Neueret in Gstaad, Oldenhorn in Gsteig und Bären in Lauenen.

Das Saanenland bietet dem Gast eine Vielfalt verschiedenartiger Restaurants an mit ebenso variationsreichen Menu- und Getränkekarten. Von der Ländlerkapelle über das Dancing mit einer Band bis zur Disco ist speziell während der Wintersaison für jeden Geschmack etwas zu finden.

Die moderne Lebensart rief auch nach neuen und bequemeren Verkehrsmitteln. Die Reiseposteinrichtung, datiert aus dem 17. Jahrhundert, war zu wenig leistungsfähig. Sie bediente vorerst das Unterland und wurde 1839 bis nach Zweisimmen erweitert. Saanen konnte erst nach der vom bernischen Grossen Rat mit 100 000 Franken subventionierten Strasse über die Saanenmöser erschlossen werden. Ab 1845 brachten dreisitzige Pferdewa-

gen die Reisenden dreimal wöchentlich in acht bis zehn Stunden von Thun durch das Simmental ins Saanenland. Wenige Jahre später kam die Reisepost täglich – ab 1859 sogar mit neunplätzigen Wagen.

Saanen wurde zum Verkehrsknotenpunkt. Von hier führten Kurse zurück über Zweisimmen nach Thun, über Château-d'Oex nach Bulle, über Gstaad ins Turbachtal, nach Lauenen und Gsteig sowie über den Col du Pillon nach Les Diablerets.

In Gstaad hielten die Kutschen beim Posthotel Rössli oder bei der ihm damals gegenüberliegenden Poststelle. Zu der Zeit verfügten die Hotels über eigene Pferdewagen und -schlitten, mit denen sie ihre Gäste an der offiziellen Haltestelle abholten und Ausflüge in die Umgebung unternahmen.

Lange war die Pferdepost das einzige öffentliche Verkehrsmittel. Anfangs des 20. Jahrhunderts lief ihr die Eisenbahn den Rang ab, später übernahmen anstelle der Pferdepost die Postautos die Bedienung der Seitentäler. Am 6. Juli 1905 fuhr die letzte Postkutsche über die Saanenmöser. Von da an übernahm die neue Eisenbahn deren Funktion.

Die Montreux–Berner–Oberland–Bahn ist das Resultat jahrelanger Verhandlungen. Bereits im vorigen Jahrhundert erachteten fortschrittliche Leute eine Verbindung Genfersee–Thunersee–Vierwaldstättersee als wünschenswert. Allerdings gingen die Ansichten über deren Realisierung auseinander. Wollten die einen über Châtel-St. Denis–Bulle–Château-d'Oex–Saanen–Zweisimmen nach Thun, empfanden die andern die direkte (heutige) Linie mit einem Tunnel durch den Dent de Jaman als ideal.

Uneinig war man sich auch über die Spurweite. Die einen glaubten, in der durchgehenden Schmalspurbahn die Lösung gefunden zu haben, die anderen fanden, eine Normalspurbahn sei das einzig richtige. Statt eine Einigung zu erzielen, reichte man zwei Konzessionsgesuche ein. Das Resultat der langen Auseinandersetzung war die etappenweise Erschliessung des Simmentals von Thun her durch eine Normalspurbahn und des Saanenlandes von Montreux her durch eine Schmalspurbahn. Diese Lösung blieb bis heute unverändert bestehen.

Die geplante Linienführung der MOB bezog Gstaad nicht mit ein, wurde aber noch vor Baubeginn zu Gunsten des «andern Dorfes» mit einer Schleife ergänzt. 1904 war das Verbindungsstück Château-d'Oex–Gstaad fertig, ein Jahr später weihte man den Teil Gstaad–Zweisimmen ein. Allerdings blieb Gstaad noch lange ein Stiefkind. 1913 lehnte die Direktion MOB das Gesuch, die Schnellzüge auch hier anhalten zu lassen, mit der Begründung ab, Gstaad sei zu klein.

Travel, which has always held a fascination for mankind, blossomed into tourism in Switzerland in the mid-sixteenth century. But only in the lowlands, however. Strangers still attracted attention in mountainous areas. Yet soon people were saying: 'Visitors are no longer just people who come here for material gain. Some of them are guests, visiting to see the countryside and its natural beauty.' Not in every case, though, as the Saaners found out in 1586, when a wayfarer cheated so many people that the Castellan had him pursued.

Gradually, tourists found their way into the various valleys of the Oberland.

The real pioneer was the Bernese physician, naturalist, and poet, Albrecht von Haller. He criss-crossed the mountains in every direction. His didactic poem, 'The Alps' (1732) became famous far and wide. The lot of the countryfolk in the Bernese Oberland was far from rosy in those days. After the plague had abated, the population increased rapidly and the land could no longer grow enough to feed its people. Many Oberlanders went abroad to seek their fortunes. The records say little about Saanenland, but it was probably largely spared this fate.

Tourism was launched by an event of great significance: the signing of the Peace of Hubertusburg in 1763 at the hunting lodge of the Elector of Saxony, the Hubertusburg. It brought peace to Europe and succeeded where governments had failed to bring income opportunities to the mountain valleys.

The English were the first to come, and a few years later discovered Switzerland as a winter playground. However, Saanenland could not handle the demands of the times for spas and baths. The sulfur spring on the Badweidli, discovered in 1700, was much too small and was therefore used only by those in the immediate vicinity. Whereas travel had formerly been reserved for the nobility, it became more and more widespread and reached its first peak in the 19th century.

The first signs of future tourism showed up at the turn of the century. At that time, what is now the children's home Alpenblick was created as the Pension von Grünigen in Ebnit, the Hotel Oldenhorn arose on the Oberbort in Gstaad (today the Chalet Firo, Institute Le Rosey) and the Villa Stucki, known today as the Alpenruhe refugee home, was built in Salzwasser (between Saanen and Gstaad). Even in those days, a neat brochure is said to have praised the attractions of the blossoming region. On August 1, 1900, according to the statistics, approximately 100 people visited the Saanenland.

The Rössli, Olden, Neueret and Bellerive inns in Gstaad and the Kreuz in Abländschen were already in operation in the 19th century. The Bären in Gsteig dates from the year 1758 while the Landhaus in Saanen was built in 1577. However, it did not originally serve as an inn but was primarily a council and court building. In the early 20th century, it collapsed under the weight of the snow and was rebuilt in 1908. The innkeepers then, as today, were lessees.

The first decree on business operations dating from 1584 permitted two inns and one wine tavern for Saanen. Gstaad was awarded a license for one inn and one wine tavern while Gsteig got one inn and Lauenen one wine tavern. The first decade of the 20th century brought to Saanenland a level of development that would be almost unbelievable today. Fifteen hotels were built in ten years, seven in Gstaad alone. 1904: the Bernerhof in Gstaad (then known as the Bahnhof), La Gare in Saanen, and the Bahnhof in Schönried. 1905: the Saanerhof and the Krone in Saanen. 1906: the National-Rialto in Gstaad. 1907: the Alpina in Gstaad and the Alpenrose in Schönried. 1908: the Bahnhof in Saanenmöser. 1909: the Viktoria in Gstaad. 1910: the Park in Gstaad and the Sporthotel in Saanenmöser. 1913: the Palace and the Bellevue in Gstaad. In Gsteig, builders completed the Sanetsch, the Viktoria and the Oldenhorn hotels; and in Lauenen, the Bären, the Wildhorn and the Geltenhorn. Of these buildings, the Palace, Alpina, Bellevue, Park and National hotels in Gstaad, the Bahnhof in Saanenmöser and the Alpenrose in Schönried are still in their original form. The other buildings have been expanded, converted, or rebuilt.

While external appearances have remained largely unchanged, the hoteliers have adjusted their functions to the needs and safety of their guests, and adopted modern management methods. However, the remarkable tradition of running hotels as family enterprises has persisted.

Approximately 2000 beds are available in the area. Some of these are in full-service apartments. Other accommodation is available at the so-called «Parahotellerie» (chalets, apartments and rooms for rent, and caravan and camping sites), facilities which should not be underestimated.

Following the explosive development up to 1913, only a few new hotels were built during the years that followed. 1923: the Waldmatte in Schönried. 1938: the Hornberg in Saanenmöser. 1962: the Chesery in Gstaad. Between 1960 and 1970: the Boo-Garni in Saanen. 1971: the Arc-en-Ciel (addition) in Gstaad. 1980: the Ermitage (addition) in Schönried and the Gstaaderhof in Gstaad. 1981: the Alpin Nova in Schönried and the Steigenberger Hotel Sonnenhalte in Saanen. Between 1973 and 1983: Cabana (addition) in Saanen. In addition to the buildings already mentioned, the Neueret in Gstaad, the Oldenhorn in Gsteig, and the Bären in Lauenen are no longer operated as hotels.

The Saanenland offers the visitor a wide range of different restaurants with equally diverse menus and beverages. There is entertainment for every taste, ranging from the village band to the dance hall to a discotheque, especially during the winter season.

The modern lifestyle soon called for new and more comfortable means of transportation. The stage coach, which dated from the 17th century, was too inefficient. At the beginning, it served only the lowlands, and was extended to Zweisimmen in 1839. Saanen was not added to the network until after the Great Council of Bern subsidized a track through Saanenmöser at the cost of 100000 francs. Beginning in 1845, three-seater carriages brought travellers three times a week from Thun through Simmental to Saanenland in 8 to 10 hours. A few years later, the mail coaches came daily, with nine-seater carriages after 1859.

Saanen became a traffic center. Routes extended to Zweisimmen and Thun, to Château d'Oex and Bulle, via Gstaad to Turbachtal, Lauenen and Gsteig, and over the Col du Pillon to Les Diablerets.

In Gstaad, the coaches stopped at the Posthotel Rössli or at the post office which was across the street in those days. At that time, the hotels had their own carriages and sleighs with which they picked up their guests at the official stop and conducted excursions into the surrounding area.

For a long time, the stage coach was the only public means of transportation and was to endure in the side valleys until the advent of the postal buses. But at Saanen the train was coming and on July 6, 1905 the last mail coach left for Thun via Saanenmöser. Now the new railroad took over its function.

The Montreux-Bernese Oberland railroad (MOB) was the result of years of negotiation. During the last century, forward-thinking individuals decided that it would be advantageous to create a link from Lake Geneva via the Lake of Thun to the Lake of Lucerne. However, there were differences of opinion as to how to build it. One group wanted to have the track run via Châtel-St. Denis-Bulle-Château d'Oex-Saanen-Zweisimmen to Thun while the others favored the direct route (in use today) via a tunnel through the Dent de Jaman.

There was disagreement about the gauge, too. One group felt that a direct narrow-gauge line was the solution while others would accept nothing but a standard-gauge route. Instead of an agreement, two concession applications were filed. The result of the long dispute was that a standard-gauge line was gradually built in stages along the Simmental from Thun while a narrow-gauge line was built from Montreux to Saanenland. And that is how things still are today.

The route designed by MOB did not initially include Gstaad, but a look was subsequently added for the sake of the 'other village'. In 1904, the link between Château d'Oex and Gstaad was ready, and one year later, the section between Gstaad and Zweisimmen was inaugurated. Gstaad remained a poor relative for a long time, however. In 1913 the management of the MOB refused a request for express trains to stop there on the grounds that Gstaad was too insignificant.

Winterlicher Gepäckverlad beim Bahnhof Gstaad. Einfache Hilfsmittel hier – weltweite Reiseziele dort. Selbst das «Einchecken» des Fluggepäckes ist organisiert

Winter at Gstaad railroad station. Baggage on a simple sleigh has already been checked in to airports all over the world

Transfert des bagages à la gare de Gstaad; enregistrement unique jusqu'à la fin du transport aérien.

Carico invernale di bagagli alla stazione di Gstaad. Da un lato semplici mezzi ausiliari, dall'altro viaggi sino in capo al mondo. Alla consegna dei bagagli per viaggi aerei si provvede in loco

Carga de equipaje durante el invierno en la estación de Gstaad. Medios auxiliares simples locales destinos a todo el mundo. La «facturación» del equipaje aéreo se efectúra directamente

Nächste Doppelseite: Bummeln in Gstaad (links) und Schönried (rechts)

Next double spread: strolling in Gstaad (left) and Schönried (right)

Double-page suivante: emplettes à Gstaad (à gauche) et Schönried (à droite)

Sulle 2 pagine che seguono: a passeggio per Gstaad (a sinistra) e Schönried (a destra)

Siguiente página doble: Paseo en Gstaad (izquierda) y Schönried (derecha)

Au XVIe siècle déjà, le fait de voyager passait en plaine pour du tourisme alors que les étrangers qui traversaient les villages de montagne étaient encore considérés comme des bêtes curieuses. Pourtant, le tourisme naissant fit bientôt constater aux gens de Saanen, dans leurs annales, que «les étrangers ne viennent plus exclusivement pour des raisons commerciales: certains de nos hôtes ne sont ici que pour profiter des beautés de la nature». Il y a eu des exceptions: en 1586, un baroudeur profita si bien de son passage à Saanen qu'il fut poursuivi pour escroquerie.

Le tourisme alla à la conquête des vallées les plus reculées. Le véritable promoteur du tourisme fut le naturaliste, poète et médecin bernois Albrecht von Haller qui partit à la reconnaissance des coins les plus reculés des montagnes pour écrire un ouvrage intitulé Les Alpes (1732); ce poème pastoral eut immédiatement un grand succès. Le sort des montagnards de l'époque était très peu enviable: après la disparition de la peste, la population se multiplia si bien que la nourriture finit par manquer aux gens de toute la région et que beaucoup d'entre eux allèrent chercher leur bonheur à l'étranger. Les annales de Saanen ne mentionnent pas ce phénomène; on peut donc admettre que le Gessenay n'en a pas souffert.

On pourrait presque donner une date de naissance au tourisme, à savoir celle de la signature du traité de paix européen de 1763 en Saxe. Il fut dès lors possible de se déplacer dans une Europe en paix et les régions les plus reculées commencèrent à s'en ressentir et à s'enrichir grâce au tourisme.

Les premiers touristes à proprement parler furent incontestablement les Anglais, qui découvrirent également les joies des sports d'hiver en Suisse. Les bains étaient très demandés mais Saanen ne découvrit sa source sulfureuse que vers 1700 et son débit n'aurait pas permis la mise sur pied de l'infrastructure d'une station balnéaire: seuls les autochtones allaient s'y revigorer. Jusqu'alors réservé à l'élite, le tourisme commençait à se populariser; il allait atteindre son point culminant au cours du XIXe siècle.

Le tourisme actuel a commencé à se développer au tournant du siècle. A cette époque furent construits à l'Ebnit le home d'enfants Alpenblick, (alors Pension von Grünigen), l'hôtel Oldenhorn près de Gstaad (aujourd'hui Chalet Firo, Institut Le Rosey), et la Villa Stucki im Salzwasser, entre Saanen et Gstaad (aujourd'hui c'est le home de réfugiés Alpenruhe). On avait même imprimé un joli prospectus louant la belle région. Les statistiques nous apprennent qu'en 1900, le Gessenay a accueilli près de cent hôtes.

Les auberges Rössli, Olden, Neueret et Bellerive, à Gstaad, et Kreuz, à Abländschen, étaient déjà connus au XIXe siècle. Le Bären de Gsteig date de 1758 et le Landhaus de Saanen de 1577; celui-ci ne servait pas exclusivement d'auberge: il servait également de siège du Conseil Communal et du tribunal; il s'est effondré sous la neige au tout début du siècle et a été reconstruit en 1908. A l'époque, les aubergistes étaient gérants et cette habitude ne s'est pas perdue jusqu'à nos jours.

La première ordonnance sur les lieux ouverts au public date de 1584; elle autorisait Saanen à avoir deux aubergistes et un débiteur de vin, Gstaad à un aubergiste et un débiteur de vin, Gsteig à un aubergiste et Lauenen à un débiteur de vin.

La première décennie du siècle apporta au pays de la Sarine un développement extraordinaire: en l'espace de quinze ans s'y sont construit quinze hôtels dont neuf à Gstaad. 1904: Bernerhof à Gstaad (anc. Bahnhof); 1905: Saanerhof et Krone à Saanen; 1906: National-Rialto à Gstaad; 1907: Alpina à Gstaad et Alpenrose à Schönried; 1908: Bahnhof à Saanenmöser; 1909: Viktoria à Gstaad; 1910: Park à Gstaad et Sporthotel à Saanenmöser; 1913: Palace et Bellevue à Gstaad; puis furent construits le Sanetsch, le Viktoria et l'Oldenhorn à Gsteig, le Bären et le Geltenhorn à Lauenen. Le Palace, l'Alpina, le Bellevue, le Park et le National à Gstaad sont encore là dans leur présentation originale, tout comme le Bahnhof à Saanenmöser et l'Alpenrose à Schönried. Tous les autres bâtiments ont subi des transformations ou ont été reconstruits.

La présentation extérieure n'a pas beaucoup changé, mais les hôteliers ont toujours su adapter leur service aux exigences de leurs clients. Une vieille tradition veut que la plupart de ces établissements soient tenus par des familles.

Deux mille lits sont disponibles dont une partie dans des studios et appartements avec service hôtelier. En outre, il ne faut pas négliger la parahotellerie; les privés offrent de nombreuses possibilités d'habitation.

Après l'immense essor de 1900 à 1913, peu d'hôtels furent construits dans les années suivantes. 1923: Waldmatte à Schönried; 1938: Hornberg à Saanenmöser; 1962: Chesery à Gstaad; 1970: Alphorn et Rüti à Gstaad; entre 1960 et 1970: Boo-Garni à Saanen; 1972: Arc-en-Ciel agrandi à Gstaad; 1981: Alpin Nova à Schönried et Gstaaderhof à Gstaad; de 1973 à 1983: Cabana agrandi à Saanen. Le Neueret à Gstaad, l'Oldenhorn à Gsteig et le Bären à Lauenen ne fonctionnent plus comme hôtel.

Le Gessenay offre à ses hôtes un grand choix de restaurants aux cartes bien garnies. De la musique folklore au dancing et en passant par la disco, le touriste trouve tout ce qu'il lui faut, en hiver surtout.

La vie qui se modernisait exigeait des moyens de transport plus confortables que les voitures privées et postales du XVIIe siècle. La voiture postale n'avait longtemps desservi que la plaine avant de prolonger son réseau jusqu'à Zweisimmen en 1839. Saanen dut attendre la construction d'une route par Saanenmöser qui fut subventionnée à raison de 100 000 francs par le Grand Conseil bernois. A partir de 1845, des voitures attelées à trois banquettes faisaient trois fois par semaine la navette Thoune–Zweisimmen–Saanen, un trajet qui prenait huit à dix heures. Quelques années plus tard, la voiture postale était déjà un événement quotidien du Simmental et 1859 vit la mise en service de nouvelles voitures à neuf places.

Saanen devint un véritable nœud routier. De là, on pouvait aller à Thoune par Zweisimmen, à Bulle par Château d'Oex; on pouvait atteindre Lauenen et le Turbachtal par Gstaad et Les Diablerets par Gsteig et le col du Pillon.

A Gstaad, la diligence faisait halte devant l'hôtel postal Rössli ou, en face, devant la poste qui n'est plus là. Les hôtels avaient déjà leurs fiacres et transportaient leurs hôtes en voitures et en traîneaux attelés qui faisaient la navette entre leur établissement et la halte postale et qui leur permettaient d'offrir des excursions à leurs clients.

La diligence des PTT fut longtemps le seul transport en commun – jusqu'à l'avènement du chemin de fer. A partir de 1905, la diligence ne servit plus qu'à desservir les localités pas encore atteintes par le train. Le 6 juillet 1905, la dernière diligence passait les Saanenmöser, cédant la place au nouveau moyen de locomotion: le chemin de fer.

Il a fallu traiter des années durant pour obtenir la liaison Montreux-Oberland bernois. Au siècle passé, déjà, des progressistes voulaient établir la liaison Lac Léman–Lac de Thoune–Lac des Quatre-Cantons, mais la réalisation suscitait des divergences d'opinions. Certains proposaient une ligne passant par Châtel-Saint-Denis, Bulle, Château d'Oex, Saanen, Zweisimmen et Thoune, d'autres la ligne directe actuelle avec un tunnel sous la Dent de Jaman.

L'écartement a fait couler bien de l'encre. Les uns voulaient construire tout le réseau en voies étroites, les autres défendaient âprement l'écartement standard. La Confédération accorda simplement deux concessions avec pour résultat la construction d'un chemin de fer à voie normalisée dans le Simmental et un autre à voie étroite pour la ligne Montreux-Saanen. Le MOB circule aujourd'hui encore sur voie étroite.

Au début, le plan de construction ne prévoyait pas que le MOB touche Gstaad, mais justice fut faite et une boucle supplémentaire fut construite à cet effet. En 1904, Château d'Oex était relié à Gstaad. Une année plus tard, le ligne Gstaad–Zweisimmen était terminée. Pourtant, Gstaad resta longtemps négligé: en 1913, la compagnie du MOB refusa au village l'arrêt des rapides sous prétexte que ce village était trop petit.

LANGLAUFLOIPE WEISSES HOCHLAND 28 km
PISTE DE FOND DU HAUT PAYS BLANC 28 km

DISTANZEN / DISTANCES

Gsteig	- Feutersoey	6 km
Feutersoey	- Chlösterli	3 km
Chlösterli	- Gstaad	4 km
Gstaad	- Saanen	3 km
Saanen	- Rougemont	4 km
Rougemont	- Gérignoz	4,5 km
Gérignoz	- Château-d'Oex	3,5 km

INFORMATION / INFORMATION

Office du tourisme Château-d'Oex
Gare MOB Rougemont
Verkehrsbüro Saanen
Verkehrsbüro Gstaad
Postbüro Feutersoey
Verkehrsbüro Gsteig

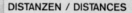

Spät erwacht der Frühling
in Lauenen
Spring comes late in Lauenen

Le printemps se fait attendre
à Lauenen
A Lauenen la primavera si
sveglia tardi
La primavera se despierta tarde
en Lauenen

*Sanetsch (links), Wasserngrat
(Mitte) und Wispile (unten)
Sanetsch (left), Wasserngrat
(center), and Wispile (bottom)
Sanetsch (à gauche), Wasserngrat
(au centre) et Wispile (bas)*

*Sanetsch (a sinistra), Wasserngrat
(in mezzo) e Wispile (sotto)
Sanetsch (izquierda), Wasserngrat
(en el centro) y Wispile (abajo)*

Edelweiss (Leontopodium alpinum)
Edelweiss
L'edelweiss
Stella alpina
Leontopodio alpino

Stengelloser Enzian
(Gentiana acaulis)
Dwarf gentian
La gentiane
Genzianella senza stelo
Enciana sin tallo

Krokus (Crocus)
Crocus
Le crocus
Croco
Croco

Silberdistel (Carlina acauli)
Carline thistle
Le chardon alpin ou d'argent
Cardo argenteo
cardo plateado

Schneeglöckchen
(Galanthus nivalis)
Snowdrop
La perce-neige ou clochette d'hiver
Bucaneve
Campanilla de las nieves

Die Wegbereiter
The Pioneers
Ceux qui posent des jalons

Nebst den Hotels und der MOB sorgten Institute und Kinderheime, vor allem aber das Institut Le Rosey in Rolle dafür, dass das Saanenland, besonders Gstaad, zu einem weltweit bekannten Fremdenort werden sollte. Die Leitung der luxuriösen, aber anspruchsvollen Schule entschied sich, dem Winter am Genfersee zu entfliehen und den Schulbetrieb statt dessen in die Berge zu verlegen. Die Wahl fiel auf Gstaad. Mit diesem Entscheid war der Grundstein für den spätern Aufschwung zum Weltkurort gelegt. Das Le Rosey galt von jeher als das Institut für Söhne angesehener Familien.

Nebst einer vorzüglichen Ausbildung, die Grundvoraussetzung für verantwortungsvolle Positionen in Wirtschaft und Politik, galt zu allen Zeiten auch der Sport, die körperliche Ertüchtigung, als wesentlicher Bestandteil der Erziehung.

Anfangs der 70er Jahre gab die Rosey-Direktion dem Drängen vieler Eltern nach und gründete eine Sektion «feminine». Von da an stand den Töchtern die gleiche Ausbildung offen. Als Unterkunftsort wurde Schönried gewählt. Einige Jahre später fanden auch die jüngeren Mädchen Aufnahme im Institutsbetrieb. Für die weiblichen Junioren konnte das Hotel Oldenblick, Chalet Firo, auf dem Oberbort in Gstaad eingerichtet werden. Der Schulbetrieb, die Küche und die Unterkunft der männlichen Schüler sind nach wie vor in verschiedenen Häusern auf dem Ried in Gstaad untergebracht.

Ein Grossteil der ehemaligen Roseyaner sind Gstaad und dem Saanenland treu geblieben. Sie sind es auch, die eine gewisse Kontinuität der Kurorte im Saanenland gewährleisten, indem sie ihre Kinder im Institut Le Rosey ausbilden lassen und so eine künftige Kundschaft für die Kurorte im Saanenland schaffen helfen.

«Das andere Dorf in der Gemeinde Saanen heisst Gstaad», schrieb Pfarrer Albrecht Gerber 1765. «Es liegt eine halbe Stunde von Saanen gar in einer angenehmen Lage. Es zählt 91 Häuser und 111 Familien.» Dieses «andere Dorf» sollte den Hauptort bald einmal überflügeln. Bereits in den 20er-Jahren haben die Gstaader Hotels prominente Gäste beherbergt, wenn man den Überlieferungen glauben darf. Wahrscheinlich war in dieser Beziehung König Leopold II. von Belgien einer der Pioniere.

Während und zwischen den beiden Weltkriegen schlug der Tourismus im Saanenland keine grossen Wellen. Trotzdem gelang es den Hoteliers, über die Runden zu kommen und zu überleben. Um so intensiver setzte der Fremdenverkehr nach dem Zweiten Weltkrieg ein: mehr und mehr fanden sich illustre Gäste aus Königshäusern, Politik, Wirtschaft, Film- und Showgeschäft ein. Gstaad wurde zu dem, was es heute als Markenzeichen trägt, ein Kurort, wo man lebt und wo man sich trifft. Ob prominent oder nicht, man fühlt sich wohl und wie zuhause.

Das Leben der einheimischen Bevölkerung wird durch die illustre Gästeschar praktisch nicht beeinflusst. Meistens mischen sich diese Leute unerkannt unter die Dorfbevölkerung. Erst eine aufgeregte Reporterschar und die Regenbogenpresse machen aufmerksam. Hoteliers, Skilehrer und Bergführer äussern sich durchwegs positiv über den Kontakt mit wirklich hochstehenden Persönlichkeiten. Etwas anders verhält es sich mit den kleinen Möchtegerne...

42/43

Hotel Bären in Gsteig: ein Bauwerk aus dem 18. Jahrhundert

Hotel Bären in Gsteig: an 18th century building

L'hôtel Bären à Gsteig date du XVIIIe siècle

L'Hotel Bären a Gsteig: una costruzione del XVIII secolo

Hotel Bären en Gsteig: una obra del siglo 18

44

Verkehrsmittel nach Wahl
Choose your means of transport
Moyen de transport à choix
Ci si sposta col mezzo preferito
Medios de transporte a discreción

In addition to the hotels and the MOB, institutes and children's homes, especially the Institute Le Rosey in Rolle, saw to it that Saanenland, particularly Gstaad, became a world famous tourist center. The principals of the luxurious but demanding school decided to flee winter on Lake Geneva and to shift school operations to the mountains instead. The choice fell on Gstaad. This decision laid the foundations for the development of the area into a world-famous resort later on. Le Rosey has always been known as a school for the sons of distinguished families.

In addition to an outstanding education, a prerequisite for responsible positions in business and politics, athletics and physical training were always considered an important part of the curriculum.

In the early 1970s, Le Rosey yielded to pressure from many parents and organized a division for girls. From then on, the daughters had the same educational opportunities as the sons. Schönried was selected as the site for their accommodation. A few years later, the younger girls began to stay at the Institute itself. The Hotel Oldenblick, later called the Montesano and now known as the Chalet Firo, was built on the Oberbort in Gstaad for the girls. Then as now, instruction, the dining hall and dormitories for the male pupils were housed in various buildings on the Ried in Gstaad.

Many of Le Rosey's former pupils remain loyal to Gstaad and Saanenland. They are the ones who have ensured a certain continuity for the Saanenland resorts by having their children educated at the Institute Le Rosey and thus helping ensure a future clientele for the resorts.

'The other village in the commune of Saanen is called Gstaad,' wrote Father Albrecht Gerber in 1765. 'It is half an hour from Saanen, in a very pleasant location indeed; there are 91 houses and 111 families.' This 'other village' soon outstripped its bigger sister. In the 1920s the Gstaad hotels were already accommodating prominent guests, if we are to believe the stories we hear. King Leopold II of Belgium was probably one of these pioneers.

During and between the two world wars, tourism was quiet in Saanenland. Nevertheless, the hoteliers managed to adapt and survive. Tourism really boomed after World War II with even more illustrious guests from royal houses, politicians, businessmen, movie stars, and show business personalities. Gstaad became a symbol, a place to live in and be seen. Whether prominent or not, everyone feels at home.

The life of the local population is practically unaffected by the glamourous parade of guests. Usually the guests mix unrecognized with the villagefolk, unless an excited flock of reporters and show business columnists attract attention. Hoteliers, ski instructors and mountain guides generally have positive things to say about their contacts with the upper crust. It's a little different with the social climbers.

Non seulement les hôtels et le MOB, mais également des institutions, ont contribué au développement du pays, en particulier l'Institut Le Rosey. Grâce à lui, Gstaad est devenue une station très connue. La direction de cette école de luxe, aux hautes exigences, avait décidé de quitter en hiver les rives du Léman pour se déplacer à la montagne et son choix se porta sur Gstaad. Toute la région profita de la présence de cette école renommée. Le Rosey a toujours été l'école réservée aux grandes familles du monde entier.

Au Rosey, une formation de très haut niveau destine les élèves à des positions importantes dans le monde économique et politique; mais les activités sportives s'y exercent aussi très sérieusement: l'éducation du corps étant considerée comme un élément indispensable à l'ensemble de l'équilibre.

Au début des années 70, la direction dut céder à de nombreuses demandes de parents pour créer une section féminine. Les jeunes filles jouissent à présent des mêmes prestations que les jeunes gens. Pour elles, on choisit Schönried. Au bout de quelques années s'est également ouverte une section pour les filles plus jeunes, installées au Chalet Firo, au-dessus de Gstaad. L'école, la cuisine et le logement des jeunes gens se trouvent toujours répartis dans diverses maisons du Ried à Gstaad.

Beaucoup d'anciens étudiants du Rosey sont restés fidèles à Gstaad et à la région en général. Ils contribuent à la fidélité légendaire des hôtes du Gessenay en s'y rendant souvent et en y envoyant leurs propres enfants.

En 1765, le pasteur Albrecht Gerber écrivait: «L'autre village de cette commune est Gstaad; il est situé à une demi-heure de Saanen, à un endroit agréable, et compte 91 maisons pour 111 familles». Il ne pouvait se douter que cet autre village prendrait un jour le pas sur Saanen. Dans les années vingt déjà, les hôtels de Gstaad recevaient des personnalités, dont le pionnier doit avoir été le roi Léopold II de Belgique.

Pendant les deux guerres, et entre-eux, le tourisme marchait relativement mal dans le Gessenay, mais tous les hôteliers réussirent à surnager et purent accueillir dès la fin de la deuxième guerre mondiale un immense flot de touristes et toutes les personnalités qui revenaient: rois, politiciens, hommes d'état; étoiles du cinéma et de la musique se donnèrent le mot pour se retrouver à Gstaad et pour profiter du bon temps. A Gstaad, on se sent bien, comme chez soi, que l'on soit une personnalité ou pas.

La vie quotidienne des autochtones n'est absolument pas perturbée par les célébrités, beaucoup se mêlant discrètement à la vie ordinaire de Gstaad. Seule l'arrivée d'une meute de journalistes et la presse de boulevard peuvent attirer l'attention ici ... Les hôteliers, les professeurs de skis, les guides ont des contacts humains et positifs avec les personnalités. Les difficultés surgissent avec ceux qui se croient importants.

Herrliche Winterzeit
Wonderful wintertime
Hiver féerique
Meravigliosa atmosfera invernale
En invierno

Für jeden Wunsch das Richtige: von der vollautomatischen Hochleistungsbahn zum Skilift, vom Übungshang bis zur hochalpinen Abfahrt

Something for everybody: from the fully automatic high-capacity tramway to the ski lift, from practice slopes to high alpine trails

Il y en a pour tous les goûts: de la télécabine surpuissante et entièrement automatique au téléski, de la pente pour les débutants à la descente alpine

Per ogni necessità la soluzione adatta: dalla ferrovia rapida alla sciovia, dal pendio per allenamento alla discesa d'alta montagna

Lo ideal para cada deseo: desde el teleférico totalmente automàtico de alta capacidad al tele-esquí, desde la colina para ejercicios hasta una pista de alta montaña

Sport macht Spass
Sport – More than Fun
Plaisirs sportifs

Ein breitgefächertes Hotel- und Parahotel-Bettenangebot macht den guten Ferienort nicht aus. Im Saanenland hat man das schon früh erkannt und gründete 1906 den Verkehrsverein Saanen, 1907 folgten die Gstaader, 1938 die Saanenmösner und 1945 die Schönrieder. Später kamen die Turbacher, Lauener und Gsteiger dazu. Im November 1982 wurden die Verkehrsvereine in deren Dachorganisation, den Verkehrsverband Saanenland, zusammengefasst.

Die Tourismusfachleute im Saanenland verfügten immer über ein gutes Angebot, das allerdings in den letzten Jahren zu einem noch reichhaltigeren und noch attraktiveren Sortiment erweitert wurde. 1934 führte das erste Funi (Schlittenbahn) die Skifahrer auf die Wispile und ein Raupenauto auf den Hornberg. Der Skisport erfreute sich bereits damals offenbar grosser Beliebtheit, denn nur drei Jahre später war eine weitere Möglichkeit offen, das Funi auf das Eggli. Wahren Pioniergeist zeigten die Erbauer des ersten und damals in Europa längsten Skilifts von Schönried auf das Horneggli. Zwei Jahre später folgte der Sitzlift von Gstaad auf den Wasserngrat. Danach blieb es fast zehn Jahre still, bis die Idee für die Gondelbahn von Gstaad auf das Eggli ausgereift war. In den 60er Jahren wurden folgende Einrichtungen erbaut: Luftseilbahn Reusch–Cabane des Diablerets und der Heiti-Lift, beide Gsteig, die Gondelbahn Gstaad–Wispile, und der Brüchli-Lift in Lauenen. Anschliessend erhielten verschiedene bestehende Anlagen Zuwachs durch weitere Lifte. Neu dazu kamen der Sitzlift auf den Rellerligrat und die vollautomatische Hochleistungsbahn Saanenmöser–Saanerslochgrat, die eine neue Ära einleitete. Sie erschliesst seit 1979 das Skigebiet vom Saanerslochgrat und stellt auch die Verbindung zu den Bergbahnen von St. Stephan im Obersimmental her. Die Rellerligrat AG in Schönried zog nach. Ihr Sitzlift wich einer ebenfalls vollautomatischen Hochleistungsbahn. Die dritte im Bunde ist die Anlage von Gstaad auf das Eggli. Die neue Gondelbahn wurde im Sommer 1983 erstellt.

Eine umstrittene, und beliebte Sache ist der «Skipass». Er erlaubt dem Inhaber, auf sämtlichen rund 70 Unternehmen, die der Vereinigung der Bergbahnen von Gstaad und Umgebung angeschlossen sind, nach eigener Wahl zu fahren. Das Gebiet erstreckt sich von St. Stephan und Zweisimmen über das Saanenland bis ins Pays d'Enhaut. Miteingeschlossen sind die MOB, der Linienbus, die PTT-Reisepost und das Hallenbad Gstaad.

Nebst dem Skifahren bietet das Saanenland eine gut ausgebaute Infrastruktur für weitere Sportarten: eine Tennishalle, ein öffentliches und verschiedene hoteleigene Hallenbäder, ein Solbad, eine Kunsteishalle mit Curling Rinks und Eislaufbahn, Natureisbahnen, Langlaufloipen, Schlittelbahnen und Ballonfahrten. Im Sommer wird Wandern und Bergwandern gross geschrieben. Es stehen aber auch Freibäder, ein Golfplatz, eine Reithalle und verschiedene Tennisplätze zur Verfügung.

Der grösste sportliche Anlass im Saanenland ist das Tennis-Turnier, bekannt unter dem Namen «Swiss Open Gstaad». Jeweils Anfang Juli durchgeführt, lockt es seit Jahrzehnten jeden Sommer eine grosse Zahl von begeisterten Tennisfreunden aus aller Welt an.

52

*Fröhlicher Abschluss
der Fondueparty
The fondue party's not over yet
Une fondue se termine
toujours bien
Finita la fonduta,
si canta attorno al fuoco
Después de la velada con «fondue»*

55

*Bruno Kernen aus Schönried (Mitte)
und Gustav Oehrli von Lauenen
(rechts), sind Mitglieder des
Schweizerischen Skikaders*

*Bruno Kernen from Schönried
(center) and Gustav Oehrli from
Lauenen (right) are members of the
Swiss Ski Team*

*Bruno Kernen, de Schönried (au
centre) et Gustave Oehrli, de
Lauenen (à droite) sont membres de
l'équipe suisse de ski*

*Bruno Kernen di Schönried (in
mezzo) e Gustav Oehrli di Lauenen
(a destra) sono membri della
selezione svizzera di sci*

*Bruno Kernen de Schönried (en el
centro) y Gustav Oehrli de Lauenen
(a la derecha) son miembros del
equipo suizo de esquiadores*

Dazu eine kleine Episode: In den 30er Jahren suchte der Gstaader Geschäftsmann Lorenz Cadonau nach einer attraktiven Abwechslung für die Sommergäste. Seine Wahl fiel auf ein gut besetztes Tennis-Turnier. Mit einem Budget von rund Fr. 30 000.– verpflichteten die Organisatoren 1937 erstmals 36 Herren und 18 Damen nach Gstaad. Damals waren noch keine Preisgelder zu kassieren, die Auszeichnungen bestanden aus Naturalgaben. Zwischen 300 und 400 Zuschauer wohnten dem Anlass bei.

Im Laufe der Zeit gewann der Tennissport immer mehr Bedeutung und mit ihm das Gstaader Turnier. 1968 wurde es zum «Swiss Open». Damit war das Feld offen für die professionellen Spieler. Heute umfasst das Tableau 36 Herren der Weltklasse. Das Budget weist eine Summe von über 1 Million Franken auf. Als Preise stehen Geldbeträge zur Verfügung. Rund 4000 Tribünenplätze werden während der einen Woche von über 13 000 Besuchern benützt.

Das Saanenland hat schon früh seine Spitzensportler unter der Elite plaziert. 1937 gewann der Gstaader Bruno Trojani die Schweizerische Skisprung-Meisterschaft in Les Diablerets. In den 70er Jahren sorgte der Gstaader Hans Zingre bei der Ski-Nationalmannschaft für Schlagzeilen, aber auch Namen wie Bethli Marmet und Ruth Wehren waren bekannt. Unter den Skispringern bemühten sich Hans-Kurt Hauswirth, Ernst von Grünigen und hauptsächlich Hans-Jörg Sumi um das sportliche Ansehen des Saanenlandes.

Peter Schneeberger, Karl Eggen und Christian von Siebenthal profilierten sich in Skilehrer-Rennen. Die Gebrüder Schwenter waren erfolgreich in der Skiakrobatik. Überraschend tauchte im Winter 1982/83 Bruno Kernen von Schönried als Sieger einer Weltcup-Abfahrt vor den Kameras auf. Durch Brigitte Glur war Schönried aber schon vorher im nationalen Skikader vertreten, und ist es neuerdings auch durch die Europacup-Siegerin 1982/83, Christine von Grünigen.

Skifahren macht Spass
Skiing is a thrill
Plaisirs du ski alpin
Sciare è divertente
La carrera de esquí proporciona placer

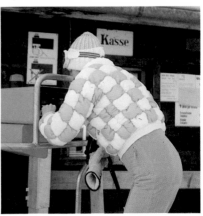

57

It's not enough for a resort area to have a wide range of hotels and «Parahotellerie». This was recognized early on in Saanenland, and in 1906 the Saanen Tourist Association was founded, followed by the Gstaad Tourist Association in 1907, one in Saanenmöser in 1938, and one in Schönried in 1945. Later Turbach, Lauenen and Gsteig formed their own associations. A coordinating organization, the Verkehrsverband Saanenland, was formed in 1982.

The tourism industry in Saanenland has always had much to offer, but in recent years the range of offerings has become even more abundant and attractive. In 1934, the first funicular (cable-drawn sleds) brought skiers to the Wispile and a tracked vehicle took them to the Hornberg. Skiing grew rapidly in popularity, and only three years later the funicular to the Eggli opened. The builders of the first (then the longest in Europe) ski lift from Schönried to the Horneggli showed a true pioneering spirit. Two years later came the chair lift from Gstaad to the Wasserngrat. Then things remained quiet for almost ten years until the idea for a gondola lift from Gstaad to the Eggli became a reality. In the 1960s the following systems were built: the aerial cable cabin from Reusch to Cabane des Diablerets and the Heiti-Lift, both at Gsteig; the gondola lift from Gstaad to Wispile and the Brüchli-Lift in Lauenen. Then, various existing facilities were expanded by adding additional lifts and a new chairlift was constructed to the Rellerligrat. The fully automatic, high-performance cable cabin system from Saanenmöser to Saanerslochgrat, which opened up a new era. Since 1979, it has provided access to the ski area of Saanerslochgrat and also provides a connection to the transportation facilities of St. Stephan in the Obersimmental. Another operator, Rellerligrat AG in Schönried, followed suit. Its chair lift was also superseded by a fully automatic high-capacity cable cabin system. The third member of the group is the lift from Gstaad to the Eggli where a new gondola lift was put in service in the summer of 1983.

Everybody is enthusiastic about the 'ski pass'. It permits the holder to travel at will on a total of about 70 facilities that are affiliated with the Vereinigung der Bergbahnen von Gstaad und Umgebung, whose territory stretches from St. Stephan and Zweisimmen via Saanenland to the Pays d'Enhaut. The MOB, the bus services, and the Gstaad indoor swimming pool also honor the pass.

In addition to skiing, Saanenland offers well-developed facilities for other sports: an indoor tennis court, one public and various hotel-owned indoor swimming pools, a salt-water pool, an indoor skating rink with curling rinks, natural ice rinks, cross-country skiing courses, toboggan runs and balloon excursions. In summer, hiking and mountaineering are very popular. However, there are open-air swimming pools, a golf course, horse riding facilities and various tennis courts for those who prefer these sports.

The biggest sporting event in Saanenland is the tennis tournament called the Swiss Open Gstaad. Held every year in early July, it has attracted many tennis enthusiasts from all over the world every summer for decades.

Here's how it started: in the 1930s, a Gstaad businessman named Lorenz Cadonau was looking for an attractive change of pace for the summer guests. He chose a tennis tournament with top-ranking players. With a budget of about 30 000 francs the organizers signed up 36 men and 18 women to come to Gstaad in 1937. No cash prizes were awarded; the awards were payments in kind. Between 300 and 400 people attended the event.

As time went on, tennis became increasingly popular, and so did the Gstaad tournament. In 1968, it became known as the Swiss Open. This opened the field to professional players. Today, the event hosts 36 world-class players. The budget is more than 1 million francs, and the prizes are cash. Nearly 4000 seats in the stands were occupied during one week by over 13 000 visitors.

Saanenland saw its top athletes among the elite quite early. In 1937 Bruno Trojani of Gstaad won the Swiss ski-jumping championship in Les Diablerets. In the 1970s, Hans Zingre, also from Gstaad, put the Swiss national ski team into the headlines, but names like Bethli Marmet and Ruth Wehren were equally famous. Famous ski jumpers include Hans-Kurt Hauswirth, Ernst von Grünigen, and especially Hans-Jörg Sumi—strong evidence of the enthusiasm for sports in the Saanenland.

Peter Schneeberger, Karl Eggen and Christian von Siebenthal distinguished themselves in the ski instructor races. The Schwenker brothers were successful in acrobatic skiing. In the winter of 1982/83, Bruno Kernen from Schönried unexpectedly emerged as the winner of a world cup race, but Schönried had already been represented earlier in the national ski team by Brigitte Glur, and is currently represented by Christine von Grünigen, the European Cup winner of 1982/83.

Une bonne station ne se compose pas seulement d'une quantité d'hôtels et de lits en parahotellerie. Les gens de Saanen, très tôt conscients de l'importance d'une bonne infrastructure, créèrent leur Syndicat d'Initiative en 1906, suivis en 1907 par Gstaad; l'exemple fit école: en 1938 ce fut le tour de Saanenmöser et en 1945 de Schönried. Plus tard, les offices de tourisme de Turbach, Lauenen et Gsteig furent créés. En 1982 on fonda l'Association touristique du Saanenland.

Les spécialistes du tourisme ont un large éventail de prestations à offrir; ils ont rendu la région encore plus riche et plus attrayante au cours de ces dernières années. En 1934, le premier funiluge conduisait les skieurs au Wispile et une autochenille les transportait déjà au Hornberg. Le ski a acquis rapidement une grande popularité: trois ans plus tard, on inaugurait le deuxième funiluge à l'Eggli. Les constructeurs du téléski Schönried–Horneggli ont fait œuvre de pionniers sur le plan européen, car c'était le premier de la région et le plus long d'Europe. Deux ans plus tard, ce fut le tour du télésiège Gstaad–Wasserngrat. Dix ans durant, plus rien ne se fit, jusqu'à ce que l'idée de la télécabine Gstaad–Eggli fût mûrie, puis mise à exécution. Les années soixante ont vu la construction du téléphérique Reusch–Cabane des Diablerets du Heiti-Lift à Gsteig, du téléphérique Gstaad-Wispile et du Brüchli-Lift de Lauenen. Plus tard, la capacité des installations en place se vit augmentée par la construction du télésiège du Rellerligrat puis de la fameuse télécabine à haute performance du Saanenmöser-Saanerslochgrat à portes automatiques et cabines à 6 places; cette installation marqua le début d'une ère nouvelle: depuis 1979 elle permet de joindre les pistes de St-Stephan dans la région antérieure de la vallée de la Simme. Rellerligrat AG suivit l'exemple et remplaça son télésiège en télécabine à haute performance. On a modernisé également la télécabine Gstaad-Eggli, inauguré en été 1983.

L'abonnement de ski, apprecié par tous les usagers, permet de profiter pleinement des prestations de quelque 70 entreprises affiliées à l'Association des remontées mécaniques de Gstaad et des Environs. Cette région comprend St-Stephan, Zweisimmen, le Gessenay et le Pays d'Enhaut. Le MOB, le bus officiel, le car postal et la piscine couverte de Gstaad sont compris dans cet abonnement général!

Loin de s'être fixé sur le ski, le Gessenay a développé son infrastructure en fonction de bien d'autres activités sportives: il y a une halle de tennis, une piscine couverte publique et plusieurs autres dans des hôtels, un solarium, une patinoire couverte avec pistes de curling et de patinage, plusieurs patinoires en plein air, quantité de pistes de ski de fond et de luge; on peut monter en ballon, faire des excursions et des randonnées à gogo tout l'été, sans oublier les piscines à ciel ouvert, le terrain de golf, les tennis en plein air et l'équitation.

La manifestation sportive la plus importante du pays est certainement le Swiss Open de Gstaad, une compétition annuelle qui attire les foules chaque mois de juillet depuis plusieurs décennies déjà.

Pour la petite histoire, mentionnons que durant les années trente, Lorenz Cadonau, un homme d'affaires de Gstaad, cherchait le moyen d'offrir une distraction attrayante aux estivants du pays. Il opta pour un tournoi de tennis et ce fut avec un budget de Fr. 30 000.— qu'il réussit à faire engager en 1937 le nombre impressionnant de 36 messieurs et de 18 dames. A cette époque, les prix ne se chiffraient pas en zéros sur des chèques: les gagnants recevaient des prix en nature. Le nombre des spectateurs fut estimé de trois à quatre cents!

La popularité grandissante du tennis conféra toujours plus d'importance au tournoi de Gstaad qui fut baptisé Swiss Open en 1968, ce qui officialisa le caractère international et professionnel de la manifestation déjà renommée. A l'heure actuelle, le Swiss Open se joue entre trente-six vedettes du monde du tennis, avec un budget de plus d'un million de francs; le tournoi est doté d'importants prix en espèces et plus de 13 000 visiteurs occupent à tour de rôle les quelque 4000 places des tribunes actuelles pendant la semaine que dure le Swiss Open.

Le Gessenay a aussi sportifs d'élite: en 1937, le championnat suisse de saut des Diablerets a été gagné par Bruno Trojani, de Gstaad; au cours des années 70, Hans Zingre, de Gstaad, fit là une de la presse nationale à plusieurs reprises; d'autres noms du pays ont marqué le monde sportif: Bethli Marmet et Ruth Wehren par exemple; pour le saut, Hans-Kurt Hauswirth, Ernst von Grünigen et surtout Hans-Jörg Sumi ont su représenter honorablement le pays de la Sarine.

Peter Schneeberger, Karl Eggen et Christian von Siebenthal se profilent dans les compétitions de moniteurs de ski; les frères Schwenter ont fait parler d'eux dans le ski acrobatique; en hiver 1982/83, la surprise: Bruno Kernen, de Schönried, gagnait une descente de la Coupe du Monde; mais le village était déjà connu par les performances de Brigitte Glur dans les cadres du ski national et on risque encore d'en parler grâce à la championne de la Coupe d'Europe 1982/83, Christine von Grünigen.

Sport wird im Saanenland gross geschrieben
Sport is big in Saanenland
Au Gessenay, le sport a ses privilèges...
Nella regione di Saanen lo sport è molto importante
El deporte ocupa un lugar preponderante en Saanenland

Skilehrer beim abendlichen Rapport
Ski instructors at an evening meeting
Les moniteurs de ski au rapport
Istruttori di sci al rapporto serale
Profesores de esquí durante la presentación del informe vespertino

Schüler-Skirennen: Erfolg für die einen, Enttäuschung für die anderen, aber ein tolles Fest für alle

Student ski races: some win, others lose, but everybody has fun

Compétition pour les écoliers: chance pour les uns, malchance pour les autres, peu importe – une belle fête pour chacun!

Competizione sciistica per scolari: vittoria per gli uni, delusione per gli altri. Ma festa grossa per tutti

Carreras de esquí para alumnos: Exito para unos, desilusión para otros, pero una inolvidable fiesta para todos

Jedem seinen Wintersport
Winter sports for everyone
Chacun son sport d'hiver
A ciascuno il suo sport invernale!
Deporte de invierno para cada uno

Das Swiss Open Gstaad, der grösste sportliche Anlass im Saanenland
The Swiss Open Gstaad, the biggest sporting event in the Saanenland

Le Swiss Open de Gstaad, la compétition sportive la plus importante du Gessenay
Il Swiss Open Gstaad, il più grande avvenimento sportivo della regione di Saanen

El Swiss Open Gstaad, el acontecimiento deportivo más importante en la región de Saanen

Nächste Doppelseite: Julie
Andrews und die Preisverteilung
Next double page: Julie Andrews
and prize award ceremony
Double-page suivante: Julie
Andrews; distribution des prix

Nelle prossime due pagine: Julie
Andrews e la premiazione
Siguiente página doble: Julie
Andrews y la distribución de los
premios

69

70

Die Sportmöglichkeiten im Sommer:
Golf, Rollski, Wandern, Reiten,
Baden usw.

Summer sports: golfing, 'grass
skiing', hiking, riding, swimming
and many more

Les activités sportives de l'été: golf, ski sur l'herbe, excursionnisme, équitation, natation, etc.

Le possibilità di sport estivi: golf, sci sull'erba, excursioni, equitazione, nuoto, ecc.

Posibilidades deportivas en verano: golf, esquí sobre hierba, excursiones, equitación, natación, etc.

*Im Saanenland gibt es eine Fülle
von Ausflugsmöglichkeiten
All kinds of excursions are available
in the Saanenland*

*Gessenay – région idéale pour
excursions et randonnées
Nella regione di Saanen si possono
fare tante belle passeggiate*

*La región de Saanen cuenta con
toda una serie de posibilidades de
excursión*

Die grossen drei
The Big Three
Les trois grands piliers

Vom Lernen
About Learning
Etude

Die Wirtschaft des Saanenlandes besteht aus Landwirtschaft, Tourismus und Gewerbe. Alle drei Bereiche greifen ineinander über und keiner ist wegzudenken, wenn der gesamte Haushalt gesund und leistungsfähig bleiben soll.

Die Landwirtschaftsbetriebe sind, der geografischen Lage entsprechend, auf Milchwirtschaft und Viehzucht ausgerichtet. Die seit Jahrhunderten bewährte Simmentaler-Rasse hat sich trotz verschiedenster Zuchtversuche behaupten können.

Die Landwirtfamilien ziehen auch heute noch im Frühjahr mit den Tieren in eine ca. 1400 Meter ü.M. gelegene Alphütte, den Vorsass. Einige Wochen später, wenn die mit Kräutern durchsetzte Wiese abgegrast ist, steigt man mit dem Vieh auf die Alp. Auf 1800–2000 Meter Höhe verbringt man die Sommerwochen. Hier entsteht, vielfach noch nach alter Väter Sitte und von Hand hergestellt, der beliebte Alpkäse.

In den ersten Septembertagen verkündet Glockengebimmel in den Dorfstrassen, dass der Alpsommer vorbei ist und die Menschen mit ihren Tieren für die kältere Zeit in die Dörfer zurückgekehrt sind. Teilweise führen sie aber das Nomadendasein im Tal weiter, in dem sie von einem Gut zum anderen ziehen, um das im Sommer eingebrachte Heu zu verfüttern.

Wie im Unterland erleichtern auch im Saanenland Maschinen das Tagwerk. Im allzu steilen Gelände ist jedoch nach wie vor Handarbeit nötig. In den Wintermonaten finden die Landwirte zusätzliche Erwerbsmöglichkeiten als Holzfäller, als Mitarbeiter bei einer der Bergbahnen oder als Skilehrer. Allerdings geht dem Landwirt die Arbeit auf dem Hof vor: Was immer er zusätzlich als Beschäftigung annimmt, jeden Morgen und jeden Abend versorgt er seine Tiere.

Täglich bringt der Landwirt am Morgen die Milch in die Molkerei. Die Kühe im Saanenland produzieren jährlich rund 2 596 000 Liter Milch. In der Molkerei von Gstaad entstehen aus 1,5 Mio. Liter 140 Tonnen Greyerzer und Bergkäse, 500 000 Liter erhält die Verbandsmolkerei in Thun zur Weiterverarbeitung, der Rest wird als offene Milch oder selbsthergestellte Milchprodukte verkauft. In Schönried fertigt der Käser aus 300 000 Liter Milch den Spezialkäse «Hornberg-Mutschli» an.

Auf der Wispile
On Wispile
A la Wispile
Sul Wispile
Sobre el Wispile

Trotz Mechanisierung:
zeitraubende Handarbeit
Despite mechanization, tedious
manual labor is still needed

La mécanisation ne peut tout
remplacer
Nonostante la meccanizzazione:
faticoso lavoro a mano
A pesar de la mecanización: trabajo
manual engorroso

Gsteig

Markt in Saanen
Market day in Saanen
Le marché de Saanen
Mercato a Saanen
Mercado en Saanen

The economy of Saanenland thrives on agriculture, tourism, and trade. All three areas interlock with one another and each one is necessary to keep the overall economic picture healthy and prosperous.

Depending on the geographic location, farming consists of dairying and cattle-raising. The Simmental breed, famous for centuries, has prevailed despite many breeding experiments. Every spring, the farm families still take their animals to an alpine hut called the Vorsass, about 1400 meters above sea level. A few weeks later, when the meadow, rich with herbs, has been grazed down to the sod, the farmers and their cattle climb higher to the alpine pasture, spending the summer weeks at 1800 to 2000 meters. This is where the famous alpine cheese is made, by hand in accordance with old family custom.

During the first weeks of September, the ringing of bells in the streets announces that the alpine summer is over and the people and their animals have come home to spend the colder season. Some, however, continue to live like nomads in the valley, moving from one farm to another to feed on the hay mown in summer.

As in the lowlands, machinery makes daily work easier in Saanenland. In areas where the terrain is too steep, however, manual labor is still required. During the winter months, the countryfolk earn extra money felling wood or working for one of the lift operators or as ski instructors. Whatever other kind of extra work the farmer takes on, he takes care of his animals every morning and every evening. The farmer brings milk to the dairy each morning. The cows in the Saanenland produce about 2 596 000 liters of milk annually. At the Gstaad dairy, 140 tons of Gruyère and mountain cheese are made from the 1,5 million liters of milk; the collective dairy in Thun accepts 500 000 liters for processing while the rest is sold as milk for drinking or homemade milk products. In Schönried, the cheese maker produces a special cheese known as 'Hornberg-Mutschli' from 300 000 liters of milk.

Ein Leben in der Landwirtschaft
A farmer's life
Une vie consacrée à la terre
Una vita in campagna
Una vida en la agricultura

L'économie du Gessenay a trois piliers porteurs: l'agriculture, le tourisme et la construction, tous trois vitaux, interdépendants et chacun indispensable au bon fonctionnement de l'économie de la région.

L'agriculture se base sur les conditions climatiques: production laitière et élève de bétail. Malgré les nombreux essais tentés pour la supplanter, la race du Simmental a montré ici sa supériorité en montagne.

Au printemps, les vachers montent toujours à l'alpage, aux environs de 1400 m d'abord, où les bêtes se gavent de l'herbe fraîche, puis vers 1800 à 2000 m où ils passent alors l'été et produisent les fameux fromages des alpes tant appréciés des gourmands du monde entier.

Aux premiers jours de septembre, les tintements sur les routes annoncent la descente de l'alpage, les bêtes étant ramenées dans leurs quartiers d'hiver, au village. Beaucoup continuent alors leur vie nomade quelques semaines encore, menant leurs troupeaux d'un pacage à l'autre pour les y nourrir du foin engrangé l'été.

Comme partout ailleurs, on allège un peu le travail de la ferme en se servant de machines agricoles, mais bien des pentes sont si escarpées qu'il n'y a plus que la main de l'homme pour les exploiter. En hiver, beaucoup de paysans travaillent à l'abattage du bois ou à l'exploitation de l'infrastructure touristique: remonte-pentes et chasse-neiges exigent du personnel; d'autres deviennent moniteurs de ski. Mais tout ce que chacun d'eux fait comme travail hivernal est une occupation supplémentaire: les bêtes exigent des soins toute l'année et il faut profiter de l'hiver pour faire les travaux menus mais nombreux de réfection et d'entretien de la maison et de la ferme.

Jour après jour, le fermier trait ses vaches le matin tôt, puis apporte le lait à la laiterie. Les vaches du Gessenay produisent chaque année près de 2,6 millions de litres de lait; à la laiterie de Gstaad, 1,5 millions de litres permettent de produire 140 tonnes de gruyère de montagne; la coopérative laitière de Thoune en reçoit 500 000 litres pour redistribution; le reste est vendu frais et sous forme de produits laitiers traités dans la région. A Schönried, le fromager trait chaque année 300 000 litres de lait pour produire son fromage spécial, le Hornberg-Mutschli.

Neuzeitlicher Heuet
Modern haying methods
Les foins aujourd'hui
Moderna segatura del fieno
Modernos métodos para el heno

Der Tourismus ist ein weitverzweigter, vielfältiger Teil der Wirtschaft. Er beinhaltet nebst Hotellerie, Bergbahnen und Sportanlagen eine Grosszahl von damit verbundenen Tätigkeiten.

Das Gewerbe hat sein Hauptgewicht auf dem Sektor Bauen. Der einzige, aus der Gegend lieferbare Rohstoff ist das Holz. Es wird in den umliegenden Wäldern geschlagen und von den einheimischen Sägereien und Hobelwerken zugeschnitten. Von der Architektur über die Maurerarbeiten zum Holzbau und den Inneneinrichtungen kann das hiesige Gewerbe alles erbringen. Ebenso sind Fachleute für den Tiefbau ansässig. Beachtenswerte Arbeiten leisten die Schreiner. Sie erfüllen die ausgefallensten Spezialwünsche punkto Decken, Türen, Schränken und vielem mehr. Nebst den mit dem Bauen zusammenhängenden Erwerbszweigen gibt es Auto-, Motorrad-, Velo- und Landwirtschaftsmaschinen-Reparaturwerkstätten und kleine Gewerbebetriebe wie Schlossereien usw. Im Detailhandel finden wir Bäckereien, Metzgereien, Käsereien, Comestibles-Geschäfte, Lebensmittel- und Getränkehandel. Boutiquen sorgen für genügend Auswahl an eleganten Kleidern, Sportgeschäfte liefern alles für den Sommer- und Wintersport, Drogerien und Apotheken verfügen über ein Sortiment wie in der Stadt, und Bijouterien halten eine exklusive Auswahl für die Kundschaft bereit, Fachgeschäfte erfüllen fast alle Wünsche. Es stehen aber auch Banken, Verkehrsbüros und ein Reisebüro zur Verfügung.

In der Sägerei
En route to the sawmill
A la scierie
Nella segheria
En el aserradero

'Butchers and bakers and candlestick makers'

Beim Floristen
At the florist
Chez le fleuriste
Dal fiorista
En la florerìa

Beim Töpfer
At the pottery
Chez le potier
Dal vasaio
En el taller del alfarero

In der eleganten Boutique
In the elegant boutique
Une boutique élégante
Nella Boutique elegante
En la boutique elegante

Weihnachtliches Gstaad
Gstaad at Christmas
Gstaad à Noël
Atmosfera natalizia a Gstaad
Gstaad en navidad

90

Tourism is an extensive and diverse aspect of the economy. In addition to the hotels, lifts, and sports facilities, it includes a great many other associated activities. Business concentrates on construction. The only raw material produced in the area is wood. It is cut in the surrounding forests and converted to lumber by the local sawmills and planing mills. Today, the businesses in the area can provide everything from architecture to masonry including wooden construction and furnishings. Civil engineering experts can be found here, too. Carpenters do remarkable work in meeting design requirements for ceilings, doors, cabinets, and a great deal more besides. In addition to the firms whose activities relate to construction, there are automobile, motorcycle, bicycle, and agricultural machinery repair shops and small enterprises such as locksmiths.

Retailers include bakers, butchers, cheese makers, and grocers. Boutiques provide a wide choice of elegant clothing, while sports shops provide everything necessary for summer and winter sports. Drugstores and pharmacies provide as wide a range of products as any city, and jewelers offer an exclusive selection to customers. Specialty stores are ready to meet almost any need and there are banks and tourist offices as well as a travel agency.

91

Christian Schwizgebel

Scherenschneider
silhouettist
coutelier
il «siluettista» (a forbici)
creador de siluetas con las tijeras

91

Hedi Olden

Töpferin und Malerin
potter and painter
potière et artiste-peintre
artista ceramista e pittrice
ceramista y pintora

Das kulturelle Angebot
Cultural offering
L'offre culturelle
Vita culturale
La oferta cultural

Sommerflor aus der Gärtnerei
Summer flowers from the garden
Floralies estivales
Flora estiva del giardiniere
Plantes de verano en el vivero

Bau am Abwasserstollen von Gsteig
Building drainage tunnels in Gsteig
Travaux pour les eaux usées de
Gsteig

*Si lavora alla condotta in roccia di
Gsteig
Trabajos de construcción en la galerìa
de aguas residuales de Gsteig*

*Hufschmied und Skimonteur
Blacksmith and ski fitter
Maréchal-ferrant et monteur de skis
Maniscalco e montatore di sci
Herrero y montador de esquís*

Le tourisme est un élément très diversifié de l'économie. Il se compose de l'hôtellerie, des transports en commun et de toutes les occupations en relation directe ou indirecte avec ces éléments.

L'importance de la construction dépend en grande partiel de l'essor du tourisme. La seule matière première de la région est le bois qui se coupe dans les forêts environnantes et se prépare dans le pays même. On trouve tout ce qu'il faut à la construction sur place: architecture, maçonnerie, menuiserie, décoration intérieure, paysagisme et génie civil. Menuisiers et ébénistes sont particulièrement actifs dans le pays: ils réalisent les vœux les plus exubérants de décoration intérieure et d'aménagement. Les professions mécaniques ne manquent pas non plus: ateliers et garages pour deux-roues, quatre-roues, machines-outils et machines agricoles sont sur place, comme les ajusteurs et les serruriers. Dans le commerce de détail, nous trouvons de nombreuses boulangeries, boucheries, laiteries, comestibles et distributeurs de boissons. Les boutiques veillent à fournir à leur clientèle au moins ce qu'elle trouve dans les métropoles; les drogueries et les pharmacies sont au niveau de celles des grandes villes et les bijouteries rivalisent avec les grands noms du monde entier. Les magasins spécialisés peuvent répondre à toutes les exigences possibles. On trouve encore les offices de tourismes, agence de voyage et de nombreuses banques.

Vergnügliches Nachtleben
Lively nightlife
Plaisirs nocturnes
Divertimento notturno
Placeres de la vida nocturna

98

Bei Wind und Wetter auf der Tour.
Ein Traumberuf?

On tour in wind and rain. A dream
occupation?

En tournée par tous les temps; une
profession de rêve?

In servizio con la pioggia e col vento.
Un mestiere di sogno?

Por mal tiempo que haga siempre
de paseo. ¿Una profesión
envidiable?

Blick hinter die Kulissen
A Look Backstage
Dans les coulisses

Der Amtsbezirk Saanen mit rund 240 km² Fläche, wovon rund 120 km² auf Saanen, 62 km² auf Gsteig und 53 km² auf Lauenen entfallen, teilt sich auf in:

	Saanen	Gsteig	Lauenen
Nutzland	11 080 ha	2980 ha	9000 ha
Wald	2 050 ha	1570 ha	3000 ha*
Unproduktives Land	920 ha	1700 ha	1400 ha

*inkl. Weiden

Auf die Nutzfläche entfallen:

	Saanen	Gsteig	Lauenen
Landwirtschaftsbetriebe	320	80	102
Vieh	5870	1102	1217
Pferde	40	4	17

Die Bevölkerungszahlen liegen bei:

	Saanen	Gsteig	Lauenen
Heute	5500	830	680
1900	3650		527
1850	3629		969

Die Zahl der Erwerbstätigen beläuft sich auf:

	Saanen	Gsteig	Lauenen
Landwirtschaft	500	102	360
Gewerbe und Handwerk	750	111	170
Hotellerie, Dienstleistungen	1500	150	149

Seine erste befahrbare Strasse erhielt das Saanenland im vorigen Jahrhundert von Zweisimmen über Saanenmöser nach Saanen. Seither hat sich das Netz wesentlich ausgedehnt. Die Gemeinde Saanen weist 120 km Wegstrecke auf, Gsteig 30 km und Lauenen 25 km.

Waren es früher eigene Quellen oder Dorfbrunnen, die das Wasser lieferten, stehen heute zum Teil moderne Anlagen zur Verfügung. Saanen benötigt jährlich 3,3 Millionen Kubikmeter, um das köstliche Nass zu liefern, es bedarf 8 Quellen und 2 Grundwasseranlagen, vier Pumpwerke, eines Heberwerkes, neun Reservoirs, 132 km Leitung und einer modernen Steuerzentrale. Gsteig fasst 2 Quellen, verfügt über ein Pumpwerk und 2 Reservoire. In Lauenen besitzen noch heute grosse Gebiete private Quellen. Für die der Gemeindewasserversorgung angeschlossenen Häuser sind zwei Quellen gefasst, ein Reservoir und ein Teil des Heberwerks beliefern 5,6 km Leitung.

Als noch lange keine Rede davon war, Volksschulen zu errichten, genossen Söhne und Töchter gehobener Schicht bereits zu Beginn des 13. Jahrhunderts Unterricht in Klosterschulen. Ein solches Lehrinstitut soll 1482 in Saanen errichtet worden sein. Die freien offenen Schulen hielten 1644 Einzug im Saanenland, 31 Jahre bevor die Regierung Berns die gesetzliche Forderung für eine allgemeine Schulordnung erliess.

Im Jahr 1783 verzeichnete das Saanenland bereits 15 Schulen, davon zwei in Gsteig und je eine in Lauenen und Abländschen. Die Gemeinde Saanen besass ein einziges, eigenes Schulhaus, alle andern Schulen waren in Privathäusern untergebracht. Der Schulbetrieb mag damals wohl dem Zufall überlassen gewesen sein. So verzeichnete die Schule Grund im April 1838 53 Schüler, im Juni waren es noch 12. Der Gstaader Lehrer Gabriel von Grünigen schrieb 1862/63 in den Examenrodel: «Ich gestehe gerne offen, dass ich keineswegs meine Pflicht getan, dass es mir aber geradezu eine Unmöglichkeit ist, auch beim besten Willen eine gemischte Schule von 87 Kindern in einem engen Raume zusammengesperrt planmässig zu beschäftigen.»

Von 1900 bis 1950 stieg in der Gemeinde Saanen die Anzahl der Primarschulklassen von 17 auf 23. 1867 erhielt Saanen die Sekundarschule, in der auch heute noch Kinder aller drei Gemeinden Aufnahme finden. Damals erforderte die Eröffnung einer Sekundarschule Garantien aus der Mitte der Bürger. 27 Saaner leisteten die nötige Bürgschaft, zwei Klassen waren gesichert.

Um die Jahrhundertwende überstieg die Schülerzahl die Platzverhältnisse der Schule, und die Eltern mussten, wollten sie die Kinder weiter zur Schule schicken, die Kosten der Erweiterung selbst übernehmen. Schon nach zehn Jahren war die Schule wieder zu klein. Seit 1973 werden alle fünf Klassen doppelt geführt. Betrieb und Unterhalt der Schulhäuser ist heute selbstverständlich Aufgabe der Gemeinden.

Im Jahr 1836 bestand in Saanen eine spezielle Schule zum Erlernen des Klöppelns, und Anfang dieses Jahrhunderts erhielt das Saanenland eine Gewerbeschule. Ihr wurde später die Berufsschule für Kaufleute und Verkäuferinnen angegliedert. 1970 kam die Gründung der Musikschule einem weitverbreiteten Bedürfnis entgegen. Sie steht Kindern und Erwachsenen des ganzen Amtsbezirkes zur Verfügung und bietet zu günstigen Bedingungen Ausbildungsmöglichkeiten für verschiedene Instrumente.

Seit langer Zeit wird im Saanenland die Erwachsenenbildung gepflegt. War es erst die Landwirtschaftlich-gemeinnützige Gesellschaft, die im vorigen Jahrhundert für eine rege Vortragstätigkeit sorgte, übernahm der Bund der Heimatfreunde auf das Drängen von Pfarrer Otto Lauterburg dieses Amt. Der geistliche Herr sah eine bedrohliche Gefahr der geistigen Verarmung aufkommen. Der weitsichtige, vielgepriesene und beliebte Pfarrer, der während vierzig Jahren (1911–1951) sein Amt in Saanen versah, wollte in erster Linie die jungen Leute erfassen. In den 60er Jahren wurde der Bund von Heimatfreunden in die Volkshochschule Saanenland umfunktioniert. Sie hat stets ein vielseitiges Angebot zur Verfügung mit Fremdsprachenkursen, Vorträgen aller Art und Werkkursprogrammen.

Gemeindeverwaltung Saanen

The commune government of Saanen

Les bâtiments administratifs de Saanen

Amministrazione Comunale di Saanen

Ayuntamiento de Saanen

Von Grafen von Greyerz verliehen: Banner mit Kranich auf drei Hügeln

Granted by the Counts of Gruyère: flag with crane and three hills

La concession des comtes de Gruyères: la bannière de Gessenay

Consegnato dal Conte di Greyerz: Gonfalone con gru sulle tre colline

Otorgado por el conde de Greyerz: bandera con grulla sobre tres colinas

Schule und Bezirksspital
School and district hospital
L'école et l'hôpital de district
La scuola e l'ospedale mandamentale
Escuela y hospital de distrito

*Die moderne Schalt- und Steuer-
zentrale der Wasserversorgung
Saanen*
*The modern control center of the
Saanen water system*

*Les tableaux de commande ultra-
modernes du service des eaux de
Saanen*
*La moderna centrale di
distribuzione idrica di Saanen*

*La moderna central de mando y
distribución del abastecimiento de
agua de Saanen*

103

The administrative district of Saanen, approximately 240 km² in area, of which 120 km² belong to Saanen, 62 km² to Gsteig, and 53 km² to Lauenen, is divided as follows:

	Saanen	Gsteig	Lauenen
Utilized land	11 080 ha	2980 ha	9000 ha
Forest	2 050 ha	1570 ha	3000 ha*
Unproductive land	920 ha	1700 ha	1400 ha

*including meadows

The utilized land is subdivided as follows:

	Saanen	Gsteig	Lauenen
Agriculture	320	80	102
Livestock breeding	5870	1102	1217
Horses	40	4	17

The population figures are as follows:

	Saanen	Gsteig	Lauenen
Today	5500	830	680
1900	3650		527
1850	3629		969

The working population is broken down as follows:

	Saanen	Gsteig	Lauenen
Agriculture	500	102	360
Small businesses and trades	750	111	170
Hotels and services	1500	150	149

The Saanenland built its first road in the last century running from Zweisimmen through Saanenmöser to Saanen. Since then, the network has been expanded considerably. The commune of Saanen has 120 km of road, Gsteig 30 km, and Lauenen 25 km.

While in the past everyone had his own well or a village well that supplied water, modern water supply systems are available today. Saanen uses 3.3 million m³ of water annually. The commune needs 8 wells and 2 groundwater systems, 5 pumping stations, 9 reservoirs, 132 km of pipe, and a modern control center. Gsteig has 2 wells, with 1 pumping station, 2 reservoirs. In Lauenen, large areas still have their own wells. The houses that are served by the community water supply draw from 2 wells, 1 reservoir, and 5.6 km of pipe.

Long before there was any such thing as a public school, the sons and daughters of the upper classes were studying in church schools at the beginning of the thirteenth century. One such institution of learning was set up in 1482 in Saanen. Free public schools were established in 1644 in Saanenland, 31 years before the Bern Government made general school attendance a legal requirement.

In 1783, Saanenland already had 15 schools, two in Gsteig and one each in Lauenen and Abländschen. The commune of Saanen had one schoolhouse, while all the other classes were held in private homes. Schooling was probably a matter of chance: the school in Grund recorded 53 students in April 1838, while in June there were only 12.

In 1862/63, the Gstaad teacher Gabriel von Grünigen wrote in his examination book: 'I freely confess that I have not done my duty, but I found it impossible, even with the best will in the world, to deal in an orderly fashion with a coed school of 87 pupils shut up in a small room.'

From 1900 to 1950, the number of primary school classes in the commune of Saanen grew from 17 to 23. In 1867, Saanen completed a secondary school which children from all three communes still attend today. In those days, the opening of a secondary school required guarantees from the citizens. Twenty-seven Saaners provided the necessary guarantee and two classes were assured.

At about the turn of the century, the number of students exceeded the number of places, and if parents wanted to continue their children's schooling they had to assume the costs of expansion themselves. After ten years the school was too small once again. Since 1973, all five grades have been run on two shifts. The operation and maintenance of the schoolhouse is the responsibility of the communes today, of course.

In 1836, there was a special school for teaching lace making in Saanen; at the beginning of this century, Saanenland built a trade school which was later combined with the commercial college. In 1970, the establishment of the music school met a sorely felt need. It is available to children and adults throughout the district and offers an inexpensive opportunity to learn various instruments.

Adult education is an old tradition in the Saanenland. While it was the Agricultural Charity Foundation which provided a vigorous program of lectures during the previous century, the Bund der Heimatfreunde (Heritage Society) took over this function in response to the urging of Father Otto Lauterburg, who saw the threat of spiritual impoverishment. This farsighted, much-praised, and well-beloved priest wanted above all to reach the young. In the 1960s the Bund der Heimatfreunde became the Volkshochschule Saanenland. It always has a diverse range of classes, with foreign languages, lectures of all sorts, and handicraft courses.

Voici la distribution des quelque 240 km² du district de Saanen dont 120 sur territoire de Saanen, 62 sur territoire de Gsteig et 53 sur territoire de Lauenen.

	Saanen	Gsteig	Lauenen
Surf. exploitable	11 080 ha	2980 ha	9000 ha
Forêts	2 050 ha	1570 ha	3000 ha*
Surf. inproductive	920 ha	1700 ha	1400 ha

* avec les pâturages

Voici les chiffres pour la surface exploitable:

	Saanen	Gsteig	Lauenen
Expl. agricoles	320	80	102
Elevage des bovins	5870	1102	1217
Elevage des chevaux	40	4	17

Répartition de la population:

	Saanen	Gsteig	Lauenen
Aujourd'hui	5500	830	680
1900	3650		527
1850	3629		969

Répartition de la population active:

	Saanen	Gsteig	Lauenen
Elevage et agriculture	500	102	360
Arts et métiers	750	111	170
Hôtellerie et prest. de service	1500	150	149

Le Gessenay a vu sa première route carrossable au siècle dernier; son itinéraire était Zweisimmen–Saanenmöser–Saanen. Le réseau routier s'est rapidement developpé: à l'heure actuelle, la commune de Saanen en compte 120 km, celle de Gsteig 30 et celle de Lauenen 25.

Anciennement, il faillait chercher son eau à la fontaine ou disposer d'un puits ou du droit d'exploitation d'un cours d'eau. Aujourd'hui, des installations modernes permettent à tout un chacun d'avoir l'eau courante. Saanen consomme annuellement 3,3 millions de mètres cubes d'eau en provenance de huit sources et de deux nappes phréatiques; cinque usines de pompage, de neuf réservoirs et 132 km de conduits en assurent l'acheminement à l'aide d'une centrale de distribution ultramoderne.

Gsteig compte deux sources et dispose d'une station de pompage, et de trois réservoirs et de 2 km de conduits. Sa consommation d'eau annuelle s'élève à 415 000 litres.

A Lauenen, beaucoup de gens disposent encore de leurs propres sources. Les autres sont reliés au service des eaux de la commune: deux sources, un réservoir et une installation de pompage dans la nappe phréatique assurent la distribution de l'eau par 5,6 km de conduits.

Lorsque personne ne parlait encore d'écoles publiques, les enfants des familles dirigeants jouissaient déjà d'une excellente formation culturelle; ils étaient entre les mains des bonnes sœurs, dans les écoles des couvents. Ces écoles avaient été instituées au tout début de ce millénaire et Saanen doit avoir eu une telle institution à partir de 1482; la première école publique s'est ouverte en 1644, soit 31 ans avant que le gouvernement bernois ne décrétât l'enseignement public.

En 1783, le Gessenay ne comptait pas moins de quinze écoles dont deux à Gsteig, une à Lauenen et une à Abländschen. Seule la commune de Saanen disposait d'une véritable école, toutes les autres étant installées dans des maisons particulières. A cette époque, l'enseignement dépendait beaucoup de l'humeur et du niveau didactique des enseignants et les enfants y allaient ou n'y allaient pas, peu importait: l'école de Grund comptait 53 élèves en avril 1838 et 12 en juin de la même année. L'instituteur de Gstaad Gabriel von Grünigen commentait ses examens de 1862/63 de la manière suivante: «J'avoue volontiers ne pas avoir rempli ma mission, mais il me semble pratiquement impossible de m'en tenir aux plans d'enseignement prévus dans une salle de classe mixte comportant en moyenne quatre-vingt-sept élèves».

Entre 1900 et 1950, le nombre de classe de l'école primaire a passé de 17 à 23. L'école secondaire de Saanen date de 1867; elle groupe aujourd'hui encore des élèves des trois communes. A l'époque, il avait fallu un engagement en garanties de la population pour assurer l'enseignement dans deux classes; ces garanties furent fournies par vingt-sept bourgeois de Saanen.

Au tournant du siècle, le nombre d'élèves dépassait de loin celui qui correspondant à la capacité des classes et ce fut aux parents de réunir les fonds nécessaires aux agrandissements utiles. Dix ans plus tard, la situation était exactement la même. Depuis 1973, les cinq années sont doublées et le financement revient évidemment aux communes.

En 1836, Saanen avait une école spéciale de dentelle. Au début du siècle fut créée une école des arts et métiers qui devint plus tard une école de commerce. En 1970 fut inaugurée l'école de musique, qui répondait à une aspiration de longue date; elle est à la disposition des enfants et des adultes de tout le district et offre la possibilité d'étudier toute une série d'instruments de musique.

La formation des adultes a une place importante dans l'enseignement du pays depuis longtemps déjà. Au siècle dernier, une société corporative d'utilité publique apprenait à qui le voulait les métiers de la paysannerie; sur la demande instante du pasteur Otto Lauterburg, qui vécu 40 ans à Saanen (1911-51), l'association des amis de la Patrie reprit par la suite cette fonction importante; il craignait un apauvrissement intellectuel de la part de ceux qui ne s'intéresseraient à rien et tenait avant tout à toucher les jeunes, dont il reconnaissait le potentiel pour l'avenir du pays. Au cours des années soixante, cette école devint université populaire dont l'éventail des prestations s'est très sensiblement élargi par des cours de langues, des conférences diverses et des cours pratiques.

Schneeräumung
Clearing away the snow
La neige a aussi ses inconvénients
Sgombero della neve
Evacuación de la nieve

110

Zeugen alter Zimmermannskunst:
die schönen Holzhäuser des
Saanenlandes

Testimony to the ancient
carpenter's craft: the beautiful
wooden houses of the Saanenland

Témoins de l'ancienne tradition
artistique des charpentiers

Testimonianze di arte carpentiera:
le belle case in legno della regione
di Saanen

Testigos del antiguo arte de la
carpintería: las bellas casas de
madera del Saanenland

Zeugen der Zimmermannskunst
Evidence of the Carpenter's Art
Les témoins d'une charpenterie florissante

Das Saanenland verfügt über eine grosse Zahl sehr schöner Holzhäuser und -bauten. Seit Jahrhunderten blüht die Zimmermannskunst. Die Begeisterung für das Schöne, Ästhetische und Feine muss seit altersher im Volk verwurzelt gewesen sein. Als im 17. und 18. Jahrhundert der Wohlstand kam, liessen es sich angesehene Familien nicht nehmen, ein anspruchsvolles, repräsentatives Haus bauen zu lassen. Nicht nur die Zimmerleute, auch die Maler, die für die Verzierungen verantwortlich waren, gaben ihr Bestes.

Das echte Saanen-Haus weist einen besonderen Baustil auf, den Ständer-Blockbau. Ein massiver Mauersockel trägt den Holzbau. Das erste Stockwerk, das eigentliche Wohngeschoss, ist in der Ständerbauweise aufgebaut. Stehende Hölzer dienen als Stützen. Sie werden durch eingenutete, liegende Traghölzer verbunden. Alle weitern Geschosse bestehen aus Blockwänden mit «Gwätt»-Verbindungen. Das Dach ist mit Schindeln gedeckt.

Das Saanen-Haus hat meist auf beiden Seiten eine geschlossene Laube, von denen vielfach je eine Treppe an der Vorderfront in den Garten führt. Im Wohngeschoss befinden sich die Küche mit einer Feuerstelle und einem konischen Bretterkamin, der gleichzeitig als Rauchkammer dient, und eine Wohnstube sowie ein bis zwei Schlafzimmer. Der obere Stock ist ähnlich eingeteilt.

Nach dem Zweiten Weltkrieg bis in die heutige Zeit setzte eine starke Nachfrage nach Ferienhäusern ein. Mit dem Boom kamen auch die Forderungen nach mehr Komfort. Die stark resonierenden Holzböden fanden wenig Gegenliebe, und die Blockwände vermochten die neuaufgekommenen Unterputz-Installationen nicht zu fassen, ohne geschwächt zu werden. Die Baufachleute suchten nach einem Ausweg, ohne das strenge Baureglement der Gemeinden zu verletzen.

Der Wunsch nach massiven, schalldichten Böden rief nach einem entsprechenden Tragwerk. Seit längerer Zeit werden deshalb die meisten Häuser in Backstein erstellt, dem Baureglement entsprechend, das nur Holzbauten vorsieht, aber mit Holz eingekleidet.

Die Chaletbauer unserer Zeit haben sich nicht mehr streng an das Rezept «Saanenhaus» gehalten. Sie sind jedoch dem Chaletbau im weitesten Sinn treu geblieben, und es ist ihnen gelungen, mit wenig Mitteln eine gewisse Abwechslung in die grösseren Ansammlungen von Häusern zu bringen.

Den modernen Holzbau verkörpern als Ausnahmen das Hallenbad, das Kirchgemeindehaus und die Tennishalle, alle in Gstaad. Ihre grosszügige, elegante Konstruktion wird im Innenraum durch bretterverleimte Binder unterstützt.

Noch heute ist es der Stolz des Zimmermeisters, ein schön verziertes Haus zu erstellen. Jeder Fachmann verfügt über seine eigenen Ornamente, deren Grundformen er von den Vorfahren übernommen hat.

Im Laufe der Jahrhunderte änderte sich speziell die Kunst am Holzbau. Im 16. Jahrhundert waren die Fassaden kaum verziert, dafür Türen, Täfer und Decken, im 17. Jahrhundert legte man Wert auf gekerbte Inschriften, die zum Teil besonders schön ausgemalt wurden, und im 18. Jahrhundert verschrieb man sich dem Hochbarock. Dieser zeichnet sich aus durch reichhaltige Verzierungen, Blumen- und Tiermalereien, aber auch durch Himmelsdarstellungen an Dachunterseiten.

Die Ornamente zeugen von grossem handwerklichem Können (oben)

The ornamentation shows skilled craftsmanship (top)

L'ornementation: une véritable œuvre d'art (haut)

Le decorazioni: testimonianza di elevata abilità artigianale (sopra)

Los adornos muestran gran conocimiento artesanal (arriba)

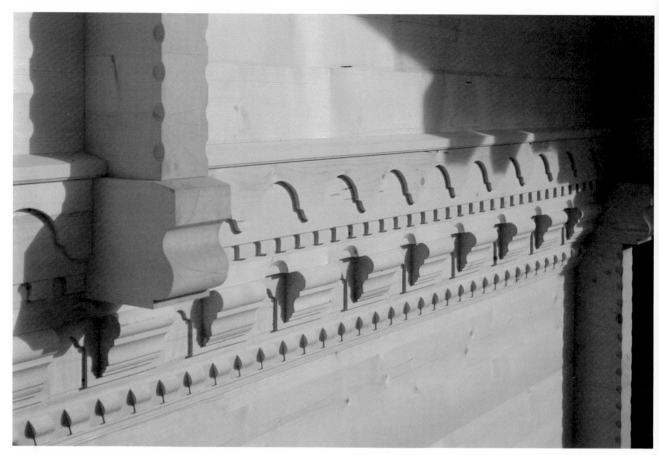

Hausbau nach neuer Methode
Building houses the new way
Nouvelle méthode de construction
Edificio costruito secondo i sistemi moderni
Nuevos métodos de construcción

Saanenland boasts a great many attractive wooden houses and buildings. Carpentry has flowered here for centuries. The enthusiasm for beautiful, esthetic, and fine things must have taken root in the people very early. With the advent of prosperity in the 17th and 18th centuries, prominent families insisted on building large and imposing houses. Both the carpenters and the painters responsible for the decorations gave of their best.

A genuine Saanen house has a special design, known as pillar and block. The first storey is a massive stone plinth supporting the wooden structure. The second storey, the living quarters, is built in the frame style. Vertical wooden members serve as supports and are connected by horizontal beams notched into them. All the other storeys are made of block walls with 'Gwätt' connections. The roof is shingled.

A Saanen house usually has an enclosed arbor on each side, from which a staircase often descends into the front garden. On the living floor, there is a kitchen with a fireplace and a tapered plank chimney which also serves for smoking jams etc; a living room and one to two bedrooms. The top floor is divided similarly.

Even today, all houses built in Saanenland have wood exteriors. The only exceptions are large hotels built of masonry around the turn of the century, and later a few institutional buildings such as the school at Ebnit and the district hospital in Saanen.

Between the end of World War II and the present time there has been a rising demand for vacation homes. The boom was accompanied by the demand for more comfort. The loudly resonating wooden floors met with little enthusiasm and the block walls would not accept the newly devised concealed wiring without being weakened. Builders looked for a way to solve the problem without violating the strict building code of the commune. The desire for solid, noise-proof floors called for a suitable supporting structure. For some time now, therefore, most houses have been built of brick, but wooden siding has been added to conform to the building code. Thus, while chalet builders nowadays no longer strictly adhere to the definition of a 'Saanen house'. They have remained faithful to chalet construction in the broadest sense of the word, and have succeeded in providing a certain degree of variety in larger groups of houses without resorting to spectacular means.

Exceptional examples of modern wooden construction are the indoor swimming pool, the church parish house, and the indoor tennis courts, all in Gstaad. Their spacious construction is reinforced inside by elegant wood-paneled tie beams.

Carpenters still take pride in building attractively decorated houses. Every craftsman uses his own style of ornamentation, whose basic designs he adopted from his forefathers.

Over the centuries, the craft of woodcarving has changed. In the 16th century, there was hardly any decoration on the façades, but the doors, panelled walls and ceilings were decorated instead. In the 17th century, carved inscriptions came into fashion, some of which were painted in an especially attractive manner; the 18th century ushered in the High Baroque.

Le Gessenay est parsemé de maisons aux façades rivalisant de beauté. Le travail du bois est un art qui s'est epanoui depuis des siècles. Le goût pour la finesse et la beauté doit avoir des racines profondes et lointaines dans le peuple. Le bien-être croissant du XVIIe et du XVIIIe poussa les familles aisées à construire des maisons représentatives, de bon goût, tout en bois: on en engageait les meilleurs charpentiers, les meilleurs ébénistes et les meilleurs peintres qui donnaient le meilleur d'eux-mêmes.

La maison typique du Gessenay se distingue par un style de construction particulier: la charpente sur pied. Sur un socle massif en pierre, on monte un premier étage, en bois, l'habitation proprement dite, composé de montants dans les angles dans lesquels s'emboîtent les madriers horizontaux; les autres étages sont construits en madriers horizontaux à croisillons dans les angles.

En général, des vérandas longent les côtés de la maison et des escaliers en descendent vers l'avant où se trouve le jardin. A l'étage d'habitation, on trouve une grande cuisine avec un âtre à cheminée conique, en bois, une salle de séjour et une à deux chambres à coucher; aux étages supérieurs, la répartition est similaire, mais sans cuisine.

Aujourd'hui encore, les gens du Gessenay ne construisent leur maison qu'en bois. Ce n'est qu'au tournant du siècle que certains hôtels se sont faits en dur, tout comme certains bâtiments utilitaires, tels l'école de l'Ebnit et l'hôpital régional de Saanen.

Après la deuxième guerre mondiale, la demande de maisons de vacances ne cessa de croître et les exigences de confort allèrent parallèlement. On appréciait toujours moins les parquets qui crissent et qui résonnent. La seule solution était la dalle en béton, qui est trop lourde pour les charpentes de bois. On construisit alors également les murs en dur et l'on pare le tout d'un décors en labris de bois.

Bien des constructeurs de chalets ne respectent plus le modèle de construction du Gessenay; ils sont pourtant restés fidèles au style «chalet», apportant, par leur contributions personnelles, la variété dans l'unité!

Le charpentier reste fier de son travail quand bien même il a remplacé sa fonction originale par celle décorateur extérieur ... La charpente n'est plus de bois, mais le plaisir d'enjoliver reste et le charpentier trouve sa raison d'être dans des astuces et des décors remarquables.

Au cours des siècles, l'apport d'éléments artistiques a marqué le progrès. Au XVIe siècle, les façades étaient à peine décorées mais les portes, les lambris et les plafonds portaient des peintures de toute beauté. Au XVIIe, les inscriptions taillées, souvent peintes, avaient la cote. Au XVIIIe, on a fait dans le baroque: riches décors de fleurs et d'animaux, paradis céleste sous les avant-toits.

Der Bau der modernen Tennishalle in Gstaad

Construction of the modern indoor tennis court in Gstaad

La halle de tennis ultramoderne de Gstaad en construction

La costruzione del moderno complesso tennistico coperto

Construcción del moderno pabellón de tennis en Gstaad

118

Das Hallenbad (oben) stand mit seiner Architektonik der Tennishalle Pate

The indoor swimming pool (above) inspired the architecture of the tennis court

La piscine couverte a donné le ton de l'architecture pour le tennis couvert de Gstaad (haut)

La piscina coperta (sopra), con la sua architettura, ha fatto da madrina al campo coperto di tennis

La piscina cubierta (arriba), de estilo arquitectónico similar al pabellón de tennis

Bewegte Vergangenheit
An Eventful Past
Un passé mouvementé

Das Saanenland hat eine bewegte Vergangenheit, aus deren frühester Zeit leider nur wenige Dokumente vorhanden sind. Man nimmt jedoch an, dass die Landschaft Saanen ursprünglich von Liguriern, Galliern und Burgundern bewohnt war. Ums 8. Jahrhundert n. Chr. zogen die im Simmental ansässigen Alemannen familienweise über die Saanenmöser und siedelten sich im Saanenland an. Da die Einwanderer den Ureinwohnern, die keltisch und später wahrscheinlich romanisch sprachen, vermutlich bald einmal zahlenmässig überlegen waren, bürgerte sich ein Dialekt deutscher Sprache ein, obwohl die Herrschaft in den Händen französischsprechender Häuser lag. Alles deutet darauf hin, dass Saanen anscheinend ein Reichsland war, das von Westen her nach und nach in Besitz genommen wurde.

Im 10. Jahrhundert wird die Grafschaft Greyerz zum ersten Mal erwähnt. Ein Teil des Saanenlandes gehörte zu der Zeit bereits dazu, im übrigen Gebiet nahmen die Walliser Freiherren von Raron und Ayent ihre Rechte wahr. Ab Mitte des 14. Jahrhunderts treten nur noch die Grafen von Greyerz als Grundherren von Saanen auf, auch wenn die Walliser noch heute Weidland in der Gemeinde Gsteig besitzen und bewirtschaften. Zusammen mit Rougemont bildete das Saanenland eine der fünf Baronien der Grafschaft Greyerz, nämlich die Kastlanei Vanel. Das heutige Pays d'Enhaut und das Saanenland ergaben La Haute Gruyère.

Unter der gräflichen Herrschaft gerieten die Saaner in der zweiten Hälfte des 14. Jahrhunderts in die Auseinandersetzungen der Savoyer mit den Oberwallisern, in deren Verlauf sich Saanen mit Sitten verfeindete. Man raubte sich gegenseitig das Vieh und zog mit der erbeuteten Herde über den Sanetschpass ins eigene Lager. Durch Vermittlung der Obersimmentaler begruben die beiden Parteien am 25. Juli 1393 beim Dürrensee am Sanetschpass das Kriegsbeil und vereinbarten, «dass künftig kein Land das andere über das Gebirge schädigen solle.»

Die Einwohner der für seine ertragreichen Wiesen und Alpen bekannten Talschaft Saanen bewiesen seit jeher einen ausgesprochenen Drang nach Unabhängigkeit und Freiheit. 1312 fanden sich die Saaner, Gsteiger und Lauener zu einer einzigen politischen Gemeinde zusammen, die ihnen nebst Stärke die notwendigen Mittel brachte, sich von den verschuldeten Herren loszukaufen.

In Greyerz wurde das Geld immer knapper und die Schulden immer grösser. Graf Franz bot daher seinen Untertanen 1448 weitere Rechte zum Kauf an, unter anderem auch das Wasserrecht: «...dass jeglicher Untertane Räder beliebig in die Wasser setzen dürfe für Mühlen, Sägen oder Schleifen.» «Das war», so steht weiter geschrieben, «für die Bewohner der entlegenen Gegend eine grosse Errungenschaft. Diese, zusammen mit anderen Freiheiten, trug zu einer über Jahrhunderte beobachteten Wohlhabenheit bei.»

Die gräfliche Forderung in Lausanner Währung war nicht gering, auf heute bezogen schätzungsweise zehn Millionen Franken. Der damalige Kastlan Niklas Baumer rief seine Mitbürger zur Beratung in die Kirche von Saanen, die in den Jahren 1444 bis 1447 in ihrer heutigen Form erbaut worden war und ein grosses Loch in den Geldbeutel gerissen hatte. So waren Bedenken, wie man den hohen Betrag erbringen sollte, angebracht. Die Versammlung entschied, bei den «Vermöglichen» eine mit fünf Prozent verzinsliche Anleihe aufzunehmen, aber offenbar brachten die Saaner die Riesensumme nicht auf. Die Urkunden berichten, dass sieben Jahresraten vereinbart wurden, die jeweils am 2. Februar abzuliefern waren. Sollte der Betrag drei Wochen nach diesem Tag nicht bezahlt worden sein, wurde die dreifache Summe fällig. Für weitere Zahlungsunfähigkeit hatte sich der Graf einen berittenen Mann als Geisel ausbedungen. Der Vertrag wurde am 3. Dezember 1448 im Schloss Greyerz besiegelt.

Der Graf verhalf mit diesem Akt den Saanern zu einem unabhängigen Gemeinwesen mit dem Recht zu freiem Handel. Er erlaubte ein eigenes Siegel, das bisher immer von der Herrschaft erbeten und erkauft werden musste, und ein eigenes Banner mit dem Kranich auf drei Hügeln. Damit hatte die Grafschaft von Greyerz die letzten «grundherrlichen Ansprüche» an der Landschaft Saanen verkauft, behielt sich aber ausdrücklich die administrative und politische Gewalt und das öffentliche Recht vor. Trotzdem gelang es den Saanern, auch auf diesem Gebiet grösstmögliche Freiheit zu erlangen. Die Heerfolgepflicht sah die Unterstützung der Grafschaft durch die Saaner nur zur Verteidigung und bloss auf die Distanz einer Tages-Fussreise vor, nicht aber für Eroberungszüge.

1403 traten die Saaner in das Burgrecht der Stadt Bern ein, schlossen also ein Trutz- und Schutzbündnis ab. Die Annäherung an Bern, das grosses Ansehen genoss, wurde wegweisend für das spätere Schicksal des Saanenlandes. Als nämlich Michael, der letzte Graf von Greyerz, 1555 in Konkurs geriet, teilten sich Freiburg und Bern in die Konkursmasse.

Das Saanenland, das schon damals vom Sanetsch und den Saanenmösern bis zum Grischbach reichte, und das Pays d'Enhaut von Rougemont bis Rossinière (dieses französischsprachige Gebiet kam 1798 zur Waadt) fielen Bern zu, mit dem Saanen bereits seit 150 Jahren im Burgrecht stand. Damit war der Traum der Saaner nach einem freien und unabhängigen Staatswesen ausgeträumt. An recht grosse Freiheit gewohnt, traf es die wieder zu Untertanen gewordenen Saaner empfindlich, dass Bern seine Rechte mit fester Hand ausspielte. Ernsthafte Meinungsverschiedenheiten waren nicht zu vermeiden.

Vehement wehrten sich die unfreiwilligen Berner gegen die Einführung der Reformation. Sie wollten am bisher ausgeübten katholischen Glauben festhalten und rieten sogar ihren Herren, sich vom neuen Glauben zu distanzieren. Bern wurde energisch, verbot dem katholischen Pfarrer zu predigen und sandte Johannes Haller als Reformator. Ihm gelang es, die Saaner einigermassen zu überzeugen, wenn dies bei den einen oder andern auch nur zum Schein oder aus Furcht vor Strafe geschehen sein mag. Schmerz und Zorn aber erfüllten die Widerwilligen, als in der neuen Kirche bis auf die Wandmalereien und die farbigen Fenster sämtliche Zeugen des einstigen Glaubens zerstört oder beseitigt wurden.

So suchten einige der Unbeugsamen und Unentwegten einen Ausweg, sandten einen Mann nach Unterwalden mit der Bitte nach Unterstützung, jedoch ohne Erfolg. Danach wallfahrteten sie in die benachbarten Kantone

Wallis und Freiburg, ja sogar nach Einsiedeln. Bern hatte seine liebe Mühe, blieb jedoch hart, auch wenn in Turbach noch nach Jahren heimlich Messen gelesen und die Saaner sich mit Erfolg fast fünfzig Jahre lang gegen die Übertünchung der Wandmalereien in der Kirche zur Wehr setzten. Ein Bauer wollte sogar sämtliche Kühe hergeben, wenn nur die Messe wieder wäre. Er erhielt eine Strafe von tausend Pfund.

1604 brach der Widerstand endgültig zusammen, fünf Jahre später gab Saanen auch die Landsgemeinde auf Druck der Obrigkeit auf. Den Herren in Bern hatte die demokratische Zusammensetzung der Saaner Landsgemeinde nie gefallen. Nach ihrer Meinung sollte «eine beschränkte Zahl von auserlesenen Männern gebührlichen Alters und Verstandes Recht und Urteil sprechen».

Ein ausgiebiger Zankapfel war unter anderem die Jagd. Die neuen Herren wollten im Saanenland die Jagd einschränken und zu gewissen Zeiten gar verbieten. Die Saaner beriefen sich «auf ihr heiliges Recht». Nach elf Jahren fand sich Bern, welches die Bevölkerung vor Wölfen und Bären, die sich bis zu den Häusern vorwagten und grosse Schäden anrichteten, nicht schützen konnte, zu einem Kompromiss bereit, mit dem Vorbehalt, das Entgegenkommen bei Missbrauch zu widerrufen.

Von 1358 an wütete während fast drei Jahrhunderten die Pest im ganzen Berner Oberland. Auch das Saanenland wurde nicht verschont; 1565 soll der Schwarze Tod innerhalb von fünf Monaten mindestens 1800 Menschen dahingerafft haben. 1573 berichten die Urkunden erneut von grossem Leid in Saanen. 1595 fielen 1200 und 1626 nochmals 400 Menschen der Pest zum Opfer. Die lange und schwere Zeit brachte ausserdem wirtschaftliche Folgen. Die angrenzenden Gebiete verschlossen ihre Zugänge. Besonders hart betroffen waren die Marktfahrer.

Der Markt hatte seit jeher eine grosse Bedeutung im Berner Oberland, so auch in Saanen. Er nahm eine wichtige Stellung im öffentlichen und wirtschaftlichen Leben ein. Zahltermine und Gerichtshandlungen wurden auf den Markttag festgelegt. Den vielen Anwesenden diente das An-den-Pranger-Stellen und das Auspeitschen der Verurteilten zur Unterhaltung. Über die Marktrechte wurde wie überall eifersüchtig gewacht. Als der Bischof von Lausanne in Bulle einen Markt erlaubte, brach 1522 in Saanen grosse Erbitterung aus. Die «in grossem Masse geschädigten» Saaner und mit ihnen die Nachbarn aus Châteaux d'Oex wandten sich an Bern und Freiburg, ohne etwas zu erreichen.

Gehandelt wurde vor allem mit Vieh, Häuten, Leder, Wolle, Käse und Butter. Bereits in den siebziger Jahren des 15. Jahrhunderts wird im Saanenland die Viehzucht als wichtigster Erwerbszweig erwähnt. Die Simmentaler Rasse besass bereits ihren guten Namen und erzielte auf den Hauptabsatzplätzen Bellinzona, Varese und Mailand gute Preise.

1631 liess Herzog Albrecht von Bayern in Saanen eine grosse Anzahl Kühe kaufen. Noch Jahre später sandte er seine Vertreter regelmässig zum Markt in Saanen. Herzog Albrecht war jedoch nicht der einzige, auch Johann Lammbacher, kurfürstlicher bayrischer Pfalzbeamter kaufte im Auftrag seines «durchlauchtigsten Herrn» in Saanen Kühe, und 1648 wechselten einheimische Pferde den Besitzer und gehörten fortan den Reitern der Herzogin von Savoyen.

Der Ausspruch eines Pfarrers aus Sigriswil am Thunersee, «Landarbeit und Alpwirtschaft sind der Leute einzige Beschäftigung, Handwerker sind wenige», scheint auch auf das Saanenland zugetroffen zu haben. Man kannte hier weder Bergbau noch erwerbsmässige Holzschnitzerei, weder Metallverarbeitung noch Glasherstellung. 1632 soll ein Zugezogener das Handwerk des Pulvermachers angefangen haben. 1680 finden sich im Rodel von Saanen zwei Salpeter- oder Pulvermacher-Patente. Die Salpetergräber gingen als «loses Gesindel» in die Geschichte ein. Sie untergruben die Häuser der Landleute, entwendeten alles, was möglich war, selbst die grossen Kupferkessel aus den Sennhütten.

Bern ging auf die Klage seiner Landsleute ein. Als das Saaner Pulver geprüft wurde, ergab sich, dass «alles Volk im ganzen Amt mit unwehrhaftem Pulver versehen war.» Der Landvogt nahm den Pulvermacher hart ins Gebet und befahl ihm unter Androhung des Konzessionsentzuges, für Ersatz zu sorgen.

Saanen und Gstaad
beim Einnachten
Saanen and Gstaad at dusk
Saanen et Gstaad au crépuscule
Si fa notte a Saanen e Gstaad
Saanen y Gstaad durante
al anachecer

Saanenland has an eventful history, but unfortunately few documents from the earliest days have survived. It is assumed, however, that the Saanen area was originally populated by Ligurians, Gauls, and Burgundians. In about the eighth century A.D., the Alemanni, who lived in the Simmental, moved in family groups via Saanenmöser and settled in Saanenland. Since the immigrants soon outnumbered the original inhabitants, who spoke Celtic and later probably Romance, a dialect of German came into use, although the power remained in the hands of French-speaking houses. Everything indicates that Saanen was probably a crown land, gradually occupied from the west.

The Counts of Gruyère are mentioned for the first time in the tenth century. A portion of Saanenland already belonged to them at that time while the barons of Raron and Ayent in Valais held sway in the remaining area. After the middle of the fourteenth century, only the Counts of Gruyère are recorded as being landlords in Saanen even though the people of Valais owned and managed pastureland in the community of Gsteig and still do today. Together with Rougemont, Saanenland formed one of the five baronies of the Counts of Gruyère, namely the Castellany of Vanel. Then, what is now called together with the Pays d'Enhaut Saanenland formed the Haute Gruyère.

Under the rule of the Counts, the people of Saanen were involved in the battles that raged as a result of disputes between the Savoyards and the people of the Upper Valais during the second half of the fourteenth century; in the course of these struggles, Saanen and Sion became enemies. The two sides stole each other's livestock and fled with the purloined herds over the Sanetsch Pass into their own territory. With the people of the upper Simmen Valley as mediators, the two parties buried the hatchet on July 25, 1393 at Dürrensee on the Sanetsch Pass and agreed that 'in future neither party would do the other any harm across the mountains.'

The inhabitants of the valley district of Saanen, famous for its fertile meadows and alpine pastures, have displayed since time immemorial a strong desire for independence and freedom. In the year 1312, the people of Saanen, Gsteig and Lauenen formed a single political commune which, in addition to power, gave them the necessary funds to ransom themselves from their rulers who had sunk deeper and deeper into debt.

In Gruyère, money dwindled and debts mounted. Count Franz therefore offered his subjects additional privileges for sale in 1448 including the Water Right: 'Any subject may freely place wheels in the water for milling, sawing, or grinding.' The text goes on, 'For the inhabitants of this remote area, this was a tremendous achievement. This fact, together with other privileges, contributed to a prosperity that lasted for centuries.'

The demands issued by the Count in Lausanne money were not small, approximately 10 million francs. The Castellan at the time, Niklas Baumer, summoned his fellow citizens to a council in the Saanen Church, which was built in its present form in the years 1444 to 1447 and had put a considerable dent in the finances. Doubts were expressed about the ability of the council to come up with this large sum. The meeting decided to raise a loan from the 'wealthy' with five percent interest, but apparently the people of Saanen could not raise such an enormous sum, for the records show that seven annual installments were agreed upon, each due on the second of February. If the sum was not paid within three weeks after this date, the amount due would be tripled. If payment was still not forthcoming, the Count had the right to demand one mounted man as a hostage. The treaty was signed on December 3, 1448, in Castle Gruyère.

By this document, the Count helped the people of Saanen to form an independent community with the right to free trade. He permitted them to have their own seal, which formerly had always been a privilege requested and purchased from the rulers, and a flag of their own showing a crane atop three hills. With that, the Counts of Gruyère had sold off the last seigneurial rights to Saanenland, but expressly retained administrative and political power and civil rights. Nevertheless, the Saaners managed to achieve maximum freedom in this respect as well, and military service obligations required that they defend the power of the Count for a distance of one day's journey by foot, but not for wars of conquest.

In 1403, the people of Saanen allied to signed a Treaty of Defense and Protection with the City of Bern. The alliance with Bern, a city which enjoyed a considerable reputation, was critical to the later history of Saanenland. When Michael, the last Count of Gruyère, went bankrupt in 1555, Fribourg and Bern shared in the estate.

Saanenland, which in those days already extended from Sanetsch and Saanenmöser to Grischbach, and Pays d'Enhaut from Rougemont to Rossinière (this French-speaking area joined Vaud in 1798), fell to Bern, of which the people of Saanen had already been associated for 150 years. This ended the Saaners' dream of a free and independent state. Accustomed to freedom, the Saaners, subjects once again, took it hard when Bern asserted its rights with a heavy hand.

Clashes of opinion were unavoidable. The unwilling citizens of Bern protested vehemently against the introduction of the Reformation. They wanted to continue to practice their traditional Catholic faith and even advised their masters to disassociate themselves from the new faith. Bern took action, banning Catholic priests from preaching and sending Johannes Haller as the reformer. He was more or less successful in convincing the Saaners; it is not clear whether they submitted out of pretense or fear of punishment. Those opposed to the new religion were torn by pain and rage when all symbols of the former faith apart from murals and stained glass windows in the new church were destroyed or swept away.

A few of the inflexible diehards looked for a way out, sending a man to Unterwalden with an appeal for support, but without success. Then they made a pilgrimage to the adjacent cantons of Valais and Fribourg, and even as far as Einsiedeln. Bern had plenty of problems but remained adamant, even when masses continued to be held secretly for years in Turbach and the Saaners prevailed for almost 50 years against the whitewashing of the murals. One farmer was even willing to give up all of his cattle for the restoration of the mass. He was fined 1000 pounds. Resistance finally collapsed in

1604 and five years later, Saanen also gave up the Landsgemeinde, the governing body, under pressure from the authorities. The rulers in Bern had never liked the democratic attitude of the Saanen Landsgemeinde. In their view, only 'a limited number of selected men of suitable age and opinion should handle all laws and decisions.'

Another serious bone of contention was hunting. The new rulers wanted to restrict hunting in Saanenland and even prohibited it at certain times. The people appealed to their 'sacred right.' After eleven years, Bern—which could not protect the population from the wolves and bears that ventured up to the very houses and did considerable damage—was prepared to compromise, with the reservation that the concession could be withdrawn if abused.

From 1358 to 1664, the plague raged for almost three centuries through the Bernese Oberland. Saanenland was not spared; in 1565, the Black Death carried off at least 1800 people in five months. In 1573, the documents again describe great suffering in Saanen. In 1595, twelve hundred and in 1626, another four hundred fell victim to the plague. This long and difficult time also had its economic consequences. The adjacent areas closed their borders. Those who had to go to the market were especially hard hit. The market had always had great significance in the Bernese Oberland, and in Saanen as well. It occupied an important position in public and business life. Dates for payment and court sessions were set for market day. The pillory and whipping of condemned criminals provided entertainment for the marketgoers. As everywhere, market rights were jealously guarded. In 1522, when the Bishop of Lausanne permitted a market in Bulle, it caused great bitterness in Saanen. The Saaners, and with them their neighbours from Château d'Oex, feeling themselves 'seriously damaged,' appealed unavailingly to Bern and Fribourg.

The most important items sold at the market were livestock, hides, leather, wool, cheese, and butter. In the 1470s, livestock-raising is already mentioned as the most important occupation in Saanenland. The Simmental cattle breed already had a good reputation and won prizes at the most important markets in Bellinzona, Varese, and Milan.

In 1631, Duke Albrecht of Bavaria purchased a large number of cows in Saanen. Thereafter, he sent his representative to the Saanen market regularly. Duke Albrecht was not the only one, however; Johann Lammbacher, a delegate of the Bavarian Court, purchased cows in Saanen on behalf of his 'Serene Highness,' and in 1648 native horses changed hands, becoming the property of the Knights of the Duchess of Savoy.

A saying by a priest from Sigriswil on Lake of Thun that 'agriculture and the Alpine economy are the only occupation of the people;—there are few craftsmen'—also seems to apply to the Saanenland. There was neither mining nor profitable woodcarving, neither metalworking nor glassmaking. In 1632, a newcomer introduced the art of making gunpowder. In 1680, the records of Saanen show two saltpeter or gunpowder patents. The saltpeter miners went down in history as 'a band of rascals.' They undermined the houses of the country folk and stole everything they could, including the large copper kettles from the dairy farms.

Schönried

Le passé très mouvementé du Gessenay est malheureusement très peu documenté. On admet pourtant que la région a appartenu aux Ligures, puis aux Gaulois et enfin aux Burgondes. Au VIIIe siècle de notre ère, les Alémaniques de la vallée de la Simme commencèrent à passer le col de Saanenmöser pour prendre racine ici, par familles entières. Ces nouveaux venus devinrent de plus en plus nombreux et finirent par effacer toutes traces des anciennes langues, au profit d'un dialecte alémanique, malgré la culture originale qui doit avoir été celtique, puis romane, et malgré la culture française des familles dirigeantes de toute la région. Le Saanenland (Gessenay) a très vraisemblablement été un petit état royal pour passer progressivement aux mains des peuples occidentaux venus en prendre possession.

Le premier document officiel mentionnant le comté de Gruyère date Xe siècle. A cette époque, une partie du Gessenay lui appartenait déjà le reste se répartissant entre les barons valaisans de Raron et d'Ayent. Vers 1350, seuls les comtes de Gruyère sont encore mentionnés comme propriétaires du Saanenland, quoique le canton du Valais jouisse aujourd'hui encore d'un droit de pâturage dans la commune de Gsteig.

Le Gessenay formait alors avec Rougemont l'une des cinq baronnies du comté de Gruyère: celle de Vanel. L'actuel Pays d'Enhaut et le Saanenland formaient alors la région de la Haute Gruyère.

Sous les comtes de Gruyère, le pays fut mêlé, au cours de la seconde moitié du XIVe siècle, aux querelles sanguinaires qui opposèrent Savoyards et Haut-Valaisans: Saanen et Sion devinrent des villes ennemies. On se volait mutuellement du bétail et on se portait tort jusqu'à ce que fût décrété, le 25 juillet 1393, près du lac de Dürren, au col de Sanetsch, que l'on enterrerait la hache de guerre et que personne n'aurait plus le droit de la franchir pour nuire à l'autre.

Les habitants et propriétaires des riches pâturages de Saanen ont toujours fait preuve d'une forte volonté d'indépendance et de liberté. En 1312, les gens de Saanen, de Gsteig et de Lauenen décidèrent de lier leurs intérêts au sein d'une seule commune: cette initiative leur permit de résister aux pressions extérieures et de racheter progressivement leurs terres aux seigneurs qui s'endettaient toujours plus.

Gruyère se noyait dans ses dettes, si bien que le compte François offrit à ses sujets, en 1448, de nouveaux droits de rachat et même le droit d'exploitation des eaux: ses sujets pouvaient enfin faire tourner sans autorisation explicite, ni taxe particulière, les aubes de leurs moulins, scieries et autres exploitations nécessitant de l'énergie hydraulique. Un progrès social, certes, mais surtout une amélioration de la condition de beaucoup et qui allait valoir à toutes les communes libérées de ce péage et de bien d'autres taxes encore un progrès non négligeable du point de vue économique au cours des siècles qui suivirent.

Mais ces droits de rachat se payaient cher; les revendances aux comtes en valeurs lausannoises s'élevaient à près de dix millions de francs. Le châtelain Niklas Baumer rassembla les gens du pays dans l'église de Saanen, dont la construction coûteuse, entre 1444 et 1447, avait passablement endetté la commune, pour une consultation sur les moyens à mettre en œuvre pour trouver cette somme exorbitante – il y avait en effet de quoi réfléchir. On décida d'opérer un prélèvement obligatoire, mais payé de cinq pour-cents d'intérêt, sur la fortune des plus aisés; mais la somme récoltée ainsi ne suffit pas et l'on put passer avec le débiteur un accord de versement à tempérament sur sept ans, payable le 2 février de chaque année, avec une clause de retard normale à l'époque: en cas de non-versement dans les trois semaines suivant l'échéance, la dette annuelle était automatiquement triplée et le comte se réservait le droit, en cas d'incapacité de paiement, de garder en otage un homme et son cheval. Le contrat fut contresigné le 3 décembre 1448 au château de Gruyère.

Par cet acte de libération si onéreux, le comte avait pourtant permis aux gens de Saanen de former une commune indépendante avec le droit d'exercer toutes ses activités commerciales en gestion autonome. Il leur octroya le droit d'avoir leur propre sceau et leur bannière, une grue surmontant trois collines; par cet acte, il avait abandonné tous ses droits féodaux au Gessenay, se réservant la seule exclusivité du droit de parole dans ses affaires administratives, politiques et judiciaires. Dans ces domaines, les citoyens de Saanen surent se rendre le plus indépendants possible et leurs obligations militaires se limitaient à la participation à la défense du comté dans un rayon ne dépassant pas un jour de marche et en aucun cas pour des activités offensives.

En 1403, les citoyens de Sarnen entrèrent dans la fédération bourgeoise de Berne et convinrent donc avec leur puissant protecteur d'un accord d'entraide bilatéral. Ce rapprochement de Berne valut au pays de la Sarine une notoriété qui devait jouer plus tard un rôle prépondérant dans sa destinée. En effet, lorsque Michel, dernier comte de Gruyère, fit faillite, en 1555, Berne et Fribourg se partagèrent tout l'actif.

Le territoire de Saanen s'étendait alors du Sanetsch à Saanenmöser et jusqu'au Grischbach; le Pays d'Enhaut allait de Rougemont à Rossinière (ce dernier fut octroyé en 1798 au Canton de Vaud parce qu'il était francophone); ils passèrent entièrement à Berne. Des accords vieux de cent cinquante ans liaient les gens de Saanen aux Bernois: il leur fallut oublier leur rêve d'indépendance en tant qu'état. Ils venaient de redevenir des vassaux, Berne faisant valoir ses droits d'une main extrêmement ferme.

Les divergences d'opinions étaient inévitables et les nouveaux Bernois combattirent violemment l'introduction officielle de la réforme: il tenaient à leur culture catholique et recommandèrent même à leur souverain de se distancer de cette nouvelle forme de croyance. Berne devint énergique et réagit en interdisant la messe au curé, envoyant à sa place le réformateur Johannes Haller. On peut imaginer que dans ces conditions, son succès fut mitigé, beaucoup de citoyens jouant le jeu de l'accord par crainte de représailles, les autorités ayant fait disparaître dans l'église de Saanen tous les témoins de la religion catholique.

Les mécontents appelèrent à l'aide Canton d'Unterwald mais sans succès; puis ils firent des pèlerinages en Valais, à Fribourg et même à Einsiedeln. Berne laissait faire mais resta ferme, se contentant de ne pas punir ceux qui participaient aux messes tenues en chachette. Il leur fallut même une bonne cinquantaine d'années d'efforts et de ruses pour recouvrir entièrement de peinture neutre les anciennes fresques de l'église de Saanen. Un paysan offrit même tout son cheptel en échange de la restitution du droit de pratique de la religion catholique et reçut... une amende de mille livres.

En 1604, la résistance avait été brisée et il ne fallut plus que cinq ans pour faire abandonner au pays de Saanen la coutume de la Landsgemeinde. Le modèle de démocratie de Saanen avait toujours éminemment déplu aux autorités bernoises dont l'avis était que le groupe de représentants du pays de la Sarine devait se composer «d'un nombre limité d'hommes responsables d'âge mûr et doués d'un esprit assez clair pour parler en connaissance de cause».

On s'est longtemps querellé à propos des droits de vénerie: le nouveau souverain voulait limiter la chasse dans le pays acquis et même l'interdire à certaines périodes. Les gens de Saanen criaient aux droits les plus sacrés. Au bout d'onze ans, les Bernois se soumirent à une solution de compromis, dans l'incapacité qu'ils étaient de protéger leurs sujets contre ours et loups qui faisaient des dégâts importants dans les champs et même dans les jardins, tout en imposant une réserve d'intervention en cas d'abus.

Durant plus de trois siècles, la peste fut le plus grave fléau qui sévit dans tout l'Oberland bernois et le Gessenay ne put y couper. En 1565, la mort noire aurait tué plus de 1800 personnes en moins de cinq mois. Les annales de Saanen parlent d'un nouveau foyer endémique grave en 1573. En 1595, 1200 personnes meurent de la peste et en 1626, encore 400. Les suites économiques d'un tel fléau coulent de source: tous les voisins de la commune fermèrent leurs frontières, les échanges commerciaux furent interrompus et les transporteurs se retrouvèrent du jour au lendemain sans travail.

Les marchés ont toujours eu une grande importance dans l'Oberland bernois et à Saanen en particulier. Les délais de paiement et les jugements se fixaient ces jours-là et la mise au pilori ou le fouet étaient pour beaucoup une distraction qui faisait partie du marché même. On défendait jalousement son importance et son exclusivité; lorsque l'évêque de Lausanne autorisa l'ouverture d'un marché à Bulle, en 1522, les gens de Saanen se fâchèrent tout rouge et portèrent plainte à Fribourg et à Berne, en compagnie de leurs voisins de Château d'Oex, pour le «grand tort» qu'il leur valait, mais sans obtenir gain de cause.

On vendait surtout du bétail, des fourrures, du cuir, de la laine, du fromage et du beurre. Autour des années soixante-dix du XVe siècle, on considérait déjà le bétail comme la ressource la plus importante pour le Gessenay; la race du Simmental jouissait déjà d'une bonne renommée et se vendait bien sur les grands marchés de Bellinzona, de Varese et de Milan. En 1631, le duc Albrecht de Bavière fit acheter un grand nombre de têtes de bétail à Saanen, puis il continua, des années durant, à compléter son cheptel au même marché. Il n'était pas le seul à le faire: la noblesse bavaroise se fournit longtemps à Saanen et, en 1648, la duchesse de Savoie y fit acheter des chevaux pour ses armées.

Un pasteur de Sigriswil rapporta que les gens ne faisaient plus que de l'élevage bovin, se détournant des professions manuelles, autant au lac de Thoune qu'à Saanen, où l'on ne connaissait ni la culture maraîchère, ni le travail du bois et où personne ne fabriquait d'objets de verre ou de métal. En 1632, un étranger s'installa à Saanen pour y exercer son métier de fabricant de poudre; en 1680, les deux seuls «gratteurs de salpêtre» autorisés à exercer leur métier, y faisaient figure d'outsiders — on les regardait de travers, prétendant qu'ils creusaient des tunnels sous les maisons pour y prendre tout ce qui s'y trouvait de métallique et jusqu'aux chaudières de cuivre des chalets d'alpages. Avec raison d'ailleurs puisque, les gens de Saanen ayant porté plainte à Berne, l'enquête montra que tout le pays tirait avec du matériel frelaté. Les salpêtriers furent sévèrement pris à parti et l'on exigea qu'ils remplacent les objets manquants sous peine de leur retirer leur concession.

Eine musische Gegend
The Arts
Une région bénie des Dieux

Der englische Dichter Lord George Gordon Byron mag einer der ersten Künstler gewesen sein, der das Saanenland besuchte. Am 7. August 1831 rühmte der Musiker Felix Mendelssohn-Bartholdy: «Das ganze Tal bei Saanen ist unbeschreiblich schön, frisch und erfreulich. Am Grün kann ich mich gar nicht satt sehen. Ich glaube, wenn ich mein Leben lang so eine hügelige Wiese mit ein paar rotbraunen Häusern darauf angucke, würde ich noch immer dieselbe Freude daran haben.»

Seither verweilten unzählige Künstler im Saanenland, mehr und minder bekannt, in der Öffentlichkeit auftretend oder auch inkognito. Einer hielt dem Saanenland die Treue: der Geigenvirtuose Yehudi Menuhin. Als der damalige Kurdirektor Paul Valentin 1956 an den Meister herantrat, um mit ihm ein Konzert für den Sommer zu besprechen, wurde diese Begegnung zur Basis für ein weit über die Region und die Landesgrenzen hinaus beachtetes Festival, das seither jeden Sommer in den Monaten August und September stattfindet. Die jährlichen Musikfestwochen bringen jeweils Künstler von Rang und Namen aus der ganzen Welt in die kleine Region. Den Musikliebhaber erwarten jeden Sommer Überraschungen, denn Meister Menuhin bittet viele seiner Musiker-Freunde um Mithilfe am Festival, etwas, das den Rahmen der Möglichkeiten von Kurorten in Berggegenden bei weitem sprengen würde. Der zum Ehrenbürger von Saanen ernannte Künstler fühlt sich wohl im Saanenland und hält sich oft auch ausserhalb der Festivalzeit zur Erholung in seinem Chalet auf.

Aus dem engen Kontakt zwischen Einheimischen und dem Musiker kam auch die Gründung der Internationalen Menuhin Musik Akademie. Sie bietet jungen talentierten Musikern mit Konzertdiplom die Möglichkeit zur Weiterbildung, zum Sammeln von Konzerterfahrung und zu Auftritten als Solisten im Rahmen der Camerata Lysy Gstaad.

Gesang und Musik ist im Saanenland überhaupt sehr beliebt. Noch im vorigen Jahrhundert entstand die Dorfmusik Harmonie in Saanen, nach der Jahrhundertwende erfolgte die Gründung der Militärmusik Gstaad, des Jodlerclubs Bärgfriede und der Frauenchöre Saanen und Gstaad. Der Männerchor Echo vom Olden bestand jedoch schon 1845, während die Brass Band Berner Oberland erst 1969 von Markus S. Bach aus der Taufe gehoben wurde. Die Band, zusammengestellt aus jungen Bläsern, sorgt immer wieder für Schlagzeilen: ihr Erfolg ist im In- und Ausland anerkannt. Fast jede Bäuert (Schulgemeinde) kennt zudem ihr eigenes «Chörli». Gesang und Geselligkeit ist meist ein Bestandteil ihrer Statuten. Dies pflegen sie erfolgreich mit Darbietungen aller Art.

Vor allem im Winter finden Unterhaltungsabende mit Mundart-Theateraufführungen statt, die Wesentliches zum aktiven Kulturerlebnis beitragen. Eine lange und bewährte Theatertradition kennt vor allem das Turbachtal. Von der Gesangsgruppe «Chörli» seinerzeit ins Leben gerufen, hat das Ensemble unter der Leitung des Lehrers Siegfried Amstutz ein ansehnliches Niveau gewonnen. Das mag auch an den Übersetzungen des Ruben Frautschi liegen, der bekannte Autorentexte in die Mundart überträgt.

134

Der Geigenvirtuose Yehudi Menuhin, Ehrenbürger von Saanen

Yehudi Menuhin, violin virtuoso and honory citizen of Saanen

Le violoniste virtuose Yehudi Menuhin, bourgeois honorifique de Saanen

Il virtuoso di violino Yehudi Menuhin, cittadino onorario di Saanen

El virtuoso violinista Yehudi Menuhin, ciudadano honorario de Saanen

Im Vereinsleben des Saanenlandes nimmt die Trachtengruppe eine bedeutende Position ein. 1934 auf Anregung von Maria Lauterburg gegründet, finden sich die Trachtenleute noch heute zum Volkstanz zusammen. Nahezu dreissig Jahre stand die damalige Inhaberin der Drogerie in Gstaad, Anna von Grünigen, der Gruppe vor. Sie wurde mit dem Titel «Trachtenmutter» geehrt.

Das Scherenschneiden im Saanenland geht auf Johann Jakob Hauswirth zurück, der von 1808–1871 gelebt hat. Der Mann «von hünenhafter Gestalt», wie er beschrieben wurde, lebte vor allem im benachbarten Pays d'Enhaut. Er soll viel herumgereist sein und als Entgelt für Kost und Logis jeweils Scherenschnitte hergestellt haben. So genau weiss das heute keiner mehr, und noch weniger, woher er die Kunst des Scherenschneidens hatte. Seine Herkunft und sein Leben liegen mehr oder weniger im dunkeln.

Louis Saugy aus Rougemont, 1871–1953, hat die Scherenschneiderei erfolgreich weitergeführt und sie an den lange im Saanenland als alleiniger Kenner geltenden Christian Schwizgebel, der 1914 geboren wurde und in Trom bei Gstaad lebt, weitergegeben.

In jüngster Zeit befassen sich viele mit dem überlieferten Kulturgut, das sie geschickt aufnehmen und weiterführen, und mit viel Fantasie, Einfühlungsvermögen und Beobachtungsgabe erweitern.

Gab es früher kaum ein Bauernhaus ohne Webstuhl, verdrängten die Fertigprodukte aus der Fabrik die Stoffe des Handwerks mehr und mehr. Während der beiden Weltkriege und der Krisenjahre erlebte das Weben erneut einen Aufschwung. In Saanen wurde 1928 die «Hausweberei» ins Leben gerufen. Sie bot eine willkommene, zusätzliche Einnahmequelle. Die in den geschäftseigenen Räumen hergestellten Stoffe erfreuten sich sehr bald grosser Beliebtheit, unterschieden sie sich doch von der in grossen Mengen hergestellten Fabrikware in Qualität und Ausstattung.

Die langjährige Präsidentin der Hausweberei, Silvia Scherz-Bezzola, erweiterte nach einiger Zeit den Betrieb mit einer Töpferei. Die ausgestellten Töpferwaren befreien die Touristen oft von der kniffligen Frage eines passenden Souvenirs.

Die Bauernmalerei gereicht seit altersher zur Zierde jedes Hauses, dient aber auch zur Verschönerung von Inneneinrichtungen und Gebrauchsgegenständen. Die vielseitig begabte Künstlerin und Hotelière Hedi Olden (Hedi Donizetti-Müllener) hat sich nebst der Fassade des eigenen Hotels vor allem auf das Bemalen von Einrichtungs- und Gebrauchsgegenständen spezialisiert. Der Flachmaler Marcel Addor nimmt sich vor allem der Fassaden an. Geschickt restauriert er die Verzierungen alter Häuser. Der verstorbene Kunstmaler Jacques Gasser kannte sich mit Schriften aus.

Bekannte Berner Künstler wie Martin Lauterburg, Fred Stauffer und Rudolf Moser wählten das Saanenland als Erholungsraum. Ihrem Beispiel folgen jährlich Unzählige, die ihre Eindrücke vom Saanenland mit Stift und Pinsel festhalten. Einer der Einheimischen, die sich über die Landesgrenze hinaus einen Namen zu schaffen vermochten, ist Oskar Buchs aus Gstaad. Sowohl seine Gemälde als auch seine Holzschnitte, aber vor allem seine Holzreliefs, finden grosse Beachtung.

Die einheimische Ballettschule
The local ballet school
L'école locale de ballet
La scuola locale di balletto
La escuela de balet local

The English poet George Gordon Lord Byron was probably one of the first artists to visit the Saanenland. On August 7, 1831, the musician Felix Mendelssohn-Bartholdy exclaimed: 'The whole valley at Saanen is indescribably beautiful, fresh, and charming. I just can't see enough green. I believe that for the rest of my life whenever I see a rolling meadow like this with a few reddish-brown houses, I will always have this same happy feeling.'

Since then countless artists have spent time in Saanenland, both the famous and the not so famous, appearing before the public or remaining incognito. One of them is faithful to Saanenland: the violin virtuoso Yehudi Menuhin. When the resort director Paul Valentin approached him in 1956 to discuss a concert, the meeting became the basis for a festival which is famous beyond the limits of the region and the country; it takes place every summer in August and September. The annual musical festival brings famous artists from all over the world to this small area. Music lovers expect surprises every summer, for Maestro Menuhin asks many of his musician friends to help out at the festival, something which goes far beyond the scope of the ordinary mountain resort. The violinist, who has been named an honorary citizen of Saanen, enjoys Saanenland and often spends time outside the festival season relaxing in his chalet.

The International Menuhin Music Academy was also founded as a result of the close links between the people of the area and the musician. It offers talented young musicians the opportunity to learn more, get together for concert experience, and appear as soloists at the Camerata Lysy Gstaad.

Song and music are great favorites in Saanenland. During the last century, the 'Harmonie' brass band was founded in Saanen, while the Militärmusik Gstaad was established after the turn of the century, as were the yodeler club Bärgfriede and the women's choruses of Saanen and Gstaad. The men's chorus, Echo vom Olden, has been in existence since 1845, while the Brass Band Berner Oberland was established in 1969 by Markus S. Bach. The band, composed of young wind players, is always making headlines, and their achievements are known far and wide. Every Bäuert (school district) has its own singing group. Song and fellowship are usually part of their charters, and they keep them up with offerings of many kinds.

Evening entertainment with theater performances in the local dialect are held primarily in winter, and make an important contribution to an active cultural experience. There is a long and treasured theatrical tradition in the Turbachtal in particular. Founded by the 'Chörli' singing group, the ensemble has risen to considerable fame under the direction of its instructor, Siegfried Amstutz. This may have something to do with the translations of Ruben Frautschi, who has translated popular plays into dialect.

Groups in folk costume play an important role in community life in the Saanenland. Founded by Maria Lauterburg in 1934, the groups meet for folk dancing. For nearly 30 years, the former owner of the drugstore in Gstaad, Anna von Grünigen, has headed the group. She has been honored by the title «Trachtenmutter».

Die Holzreliefs von Oskar Buchs in Gstaad sind weit über die Landesgrenzen hinaus bekannt

The wooden reliefs of Oskar Buchs in Gstaad are known far and wide

Les reliefs sur bois d'Oskar Buchs à Gstaad sont connus bien au-delà de nos frontières

I bassorilievi in legno, opera di Oskar Buchs a Gstaad, sono ben noti anche oltre le nostre frontiere

Los relieves en madera, arte de Oskar Buchs en Gstaad, son muy conocidos incluso fuera de nuestras fronteras

The art of silhouette cutting in the Saanenland goes back to Johann Jakob Hauswirth, who lived from 1808 to 1871. Described as 'a giant of a man', he lived primarily in the adjacent Pays d'Enhaut. He is supposed to have travelled around a good deal and made silhouettes as payment for food and lodging. His origins and his life are more or less lost in obscurity nor is it known where he learned this art.

Louis Saugy from Rougemont, 1871 to 1953, successfully continued the art of silhouetting and passed it on to Christian Schwizgebel, who for a long time was Saanenland's only master of the craft; he was born in Lauenen in 1914 and lives in Trom, between Gstaad and Lauenen.

Recently, many people are becoming interested in their cultural heritage, which they carefully acquire and pass on, and expand with a good deal of imagination, insight, and observation.

While formerly every farmer's house had its loom, factory-made products have supplanted hand-made goods more and more. During the two world wars and the crisis years, weaving enjoyed a renaissance. 'Hausweberei' (cottage weavering) was started in Saanen in 1928. It offered a welcome additional source of income. The materials produced by the group's looms soon became very popular, and contrasted favorably with mass-produced fabrics in both quality and design.

The long-term president of the cooperative mill, Sylvia Scherz-Bezzola, expanded the operation after a while with a pottery. The pieces they turn out often answer for tourists the tricky question of a suitable souvenir.

Since ancient times, 'Bauernmalerei' (peasant art) has been a style of painting used for decorating houses, but also to decorate interior furnishings and utensils. The versatile artist and hotelière Hedi Olden (Hedi Donizetti-Müllener) has specialized, in addition to the façade of her own hotel, primarily in painting furniture and utensils. The painter Marcel Addor works primarily on façades. Skilfully, he restores the decorations on old houses. The late artist Jacques Gasser worked with lettering.

Famous Bernese artists like the late Martin Lauterburg, Fred Stauffer and Rudolf Moser have chosen Saanenland as a place to relax. Countless others follow their example every year, capturing their impressions of the region with brush and pencil. One of the natives who has made a name for himself far beyond the borders of the area is Oskar Buchs of Gstaad. His paintings, woodcuts, and especially his wood reliefs are highly esteemed.

Theater – ein Erlebnis
Theater – an experience
Le théâtre: un événement
A teatro. Un avvenimento
El teatro, un acontecimiento
inolvidable

Brass Band Berner Oberland
(Markus S. Bach)

Lord George Gordon Byron était l'un des premiers artistes à visiter le Saanenland. Le 7 août 1831, le musicien Félix Mendelssohn-Bartholdy écrivait: «Toute la vallée autour de Saanen est d'une beauté indescriptible, douce et fraîche. Jamais mon regard ne se lassera de cette verdure. Je crois que j'aurais encore le même plaisir à la vue de ces collines aux riches pâturages et aux quelques maisons brun rougeâtre si je devais rester ici tout le restant de ma vie.»

Depuis lors, nombre d'artistes ont visité le beau pays de la Sarine, qui à titre officiel, qui incognito. Un tout grand musicien est toujours resté fidèle au pays: le violoniste virtuose Yehudi Menuhin. En 1956, Paul Valentin, alors directeur du Comité d'Initiative, rencontra Menuhin pour discuter d'un concert que ce dernier devait donner cet été-là; le résultat en fut le festival dont la notoriété s'étend bien au-delà de nos frontières et qui se répète depuis tous les étés, au cours des mois d'août et de septembre. Ces semaines de musique font venir dans cette petite région les personnalités du monde musical les plus célèbres. Chaque été, ce sont de nouvelles surprises: le maître Yehudi Menuhin prie toujours quelques-uns de ses amis de participer à sa manifestation par une contribution personnelle et le résultat en sont des performances qui dépassent de loin tout ce que l'on attendrait d'une station touristique de montagne ordinaire. Il a titre de bourgeois honorifique de Saanen; il se sent bien dans le pays et se rend souvent à son chalet en-dehors du Festival.

Le contact étroit entre les gens de Saanen et le grand virtuose a donné naissance à l'Académie de Musique Internationale de Yehudi Menuhin qui offre aux jeunes talents musicaux dotés d'un diplôme la possibilité de parfaire leurs connaissances, d'acquérir l'expérience des concerts et d'apprendre à se présenter en solistes dans le cadre de la Camerata Lysy Gstaad.

La chanson et la musique en général sont particulièrement appréciées dans le Gessenay. Au siècle passé naissait l'Harmonie de Saanen, et le tout début du XXe siècle a vu se créer la Musique militaire de Gstaad, le Club des Jodleurs Bärgfriede et le Chœur féminin de Saanen et de Gstaad. Le Chœur d'hommes Echo vom Olden, qui existe depuis 1845, côtoie le Brass Band Berner Oberland, fondé en 1969 par Markus S. Bach; ce groupe de jeunes musiciens, joueurs d'instruments à vent, font parler d'eux sur le plan international. Chaque communauté scolaire a son «petit chœur». Tous ces ensembles musicaux fonctionnent sur le principe du bonheur et de la santé par le chant et la vie communautaire – et ils en font la preuve par leurs prouesses.

Tous les hivers, plusieurs groupes de théâtre enrichissent la vie culturelle du pays par des présentations de qualité en dialecte. Le Turbachtal est le berceau d'une intense activité théâtrale. Son groupe actuel, créé à l'origine par le «Chörli» ou petit chœur, sous la direction de l'instituteur Siegfried Amstutz, présente aujourd'hui des spectacles d'un haut niveau, soutenu par les excellentes traductions en dialecte de Ruben Frautschi.

Les sociétés du pays de la Sarine sont nombreuses et vivaces. Le Groupe des Costumes régionaux est important; il a été créé en 1934 sous l'égide de Maria Lauterburg et réunit aujourd'hui encore des gens en costumes traditionnels dans des danses folkloriques. Il a été dirigé trente ans durant par la droguiste de Gstaad, Anna von Grünigen, qu'on appelait Madame Costume.

Une autre activité traditionnelle du Gessenay, l'art du découpage, date du début du XIXe siècle. Jacob Hauswirth, qui a vécu de 1808 à 1871, était un homme d'une carrure étonnante. Il est né à Saanen et finit sa vie au Pays-d'Enhaut où il survivait en vendant les véritables œuvres d'art qu' étaient ses découpes aux ciseaux. Personne ne sait plus au juste ce qu'il était d'autre que coupeur de papier, ni d'où il tenait son art, et personne ne s'y intéresse vraiment: l'œuvre laissée est tellement plus importante que le personnage.

Louis Saugy, de Rougemont, perpétua cet art et en transmit toutes les ficelles à Christian Schwizgebel, né en 1914 qui a toujours passé pour le virtuose de la découpe au pays de la Sarine; cet artiste qui vit à Trom près de Gstaad a permis à une forme d'expression particulière de survivre jusqu'à nos jours.

La nouvelle génération s'intéresse à nouveau aux mouvements culturels d'antan, les fait renaître et les pourvoit de l'enrichissement de ses idées nouvelles.

Anciennement, toute maison qui se respectait avait son rouet. La commercialisation des produits finis les ont tous fait mettre au rebut sauf pendant les deux guerres mondiales, où beaucoup se sont remis, faute de mieux, à filer et à tisser leurs draps et leurs vêtements. En 1928, Saanen a vu s'ouvrir une tisseranderie qui permit à bien des gens d'améliorer quelque peu l'ordinaire des années de crise. Les tissus ainsi produits étaient très appréciés parce qu'ils se distinguaient des produits de grande série des fabriques par la finition et la qualité.

Au bout d'un certain temps, la présidente de la tisseranderie, Silvia Scherz-Bezzola, compléta l'affaire une poterie dont les produits permettent aujourd'hui encore à bien des touristes d'emporter du pays un souvenir fait main et sur place.

La peinture des boiseries et des meubles a toujours été un élément de la vie de tous les jours au Gessenay. L'artiste peintre aux nombreux talents et hôtelière Hedi de l'Olden, non contente de décorer les façades de son établissement, s'est spécialisée dans la décoration des objets d'usage courant. Le peintre Marcel Addor se consacre surtout à l'heure actuelle à la décoration des façades et à la réfection des parures des anciennes maisons; un autre artiste du genre, l'artiste peintre Jacques Gasser, est mort après avoir consacré sa vie aux inscriptions.

Des artistes peintres bernois de renom, tels Martin Lauterburg, Fred Stauffer et Rudolf Moser, ont opté pour le Gessenay pour prendre du repos. Des centaines d'autres, moins connus, croquent et peignent chaque année paysages et panoramas du pays. Oscar Buchs vit à Gstaad; il s'est fait une renommée internationale par ses peintures et ses bois taillés, mais surtout par ses reliefs en bois.

Bauliche Kostbarkeiten
Architectural Treasures
Merveilles de l'architecture

Leise und geheimnisvoll zieht nachts ein Pferdefuhrwerk von Gstaad nach Saanen. Sowohl Hufe als auch Räder sind mit Tüchern umwickelt, um jeden Lärm zu vermeiden. Der Fuhrmann heisst Niklas Baumer. Man schreibt das Jahr 1444. Was tut sich hier? Baumer führt vorbereitetes Holz für den Neubau der Kirche. Ihr Standort sollte, so der Wunsch vieler Gläubigen, zentral gewählt, und deshalb von Saanen nach Gstaad verlegt werden. Niklas Baumer behagt dieser Entscheid wenig, für ihn kommt nur der Standort der bisherigen Kirche, das St. Moritzenbühl in Saanen, in Frage. So die Überlieferung.

Sicher ist, dass Saanen bereits vor der jetzigen Kirche ein Gotteshaus hatte. Saanen gehörte damals zum Dekanat von Château-d'Oex und zum Bistum Lausanne. Das Patronatsrecht über die Saaner Kirche übte das im 11. Jahrhundert gegründete Kloster Rougemont aus. Es wird vermutet, dass Saanen sehr früh ein eigenes Gotteshaus besass. Die Entfernung bis Château-d'Oex für sämtliche kirchlichen Handlungen war gross. Zudem ergaben sich nach der Einwanderung der Alemannen Sprachprobleme.

Urkundlich wird die Kirche von Saanen erstmals im Jahre 1228 erwähnt. Die heutige Form erhielt die Mauritius-Kirche in den Jahren 1444–47. Leider sind keine Dokumente über den Bau und dessen Kosten erhalten geblieben. Im Sommer 1447 weihte Bischof Stephanus von Marseille als Stellvertreter des Lausanner Bischofs das Gotteshaus ein.

Ursprünglich war die Mauritius-Kirche – wie der Triumphbogen und der Chor mit den Rundfenstern sehr schön zum Ausdruck bringen – romanisch. Der niedrige Kirchenraum wurde im Laufe der Bauzeit jedoch gotisch erhöht. Eine seltene und eigenartige Holzkonstruktion aus dieser Zeit ist die Kirchendecke, der nicht zuletzt die ausgezeichnete Akustik zu verdanken ist.

Sechs grosse Holzsäulen stützen das hochgezogene Mittelschiff und trennen es von den beiden niedrigeren Seitenschiffen. Diese Dreischiffigkeit kommt durch die heutige Anordnung der Bankreihen nicht mehr zur Geltung. Durch das Versetzen der südlichen Mauer nach innen – die erste stürzte während des Baus ein – entstand eine eigenartige Verschiebung der Achsen von Schiff und Chor. Die sich daraus ergebende Spannung wird aufgefangen und ausgewogen durch die im 17. Jahrhundert entstandene asymmetrische Empore.

Am 11. Juni 1940 schlug ein Blitz während eines heftigen Gewitters in den Turmhelm der Mauritius-Kirche. Trotz des schnellen Einsatzes der Feuerwehren konnte grosser Schaden nicht vermieden werden: die Kirche brannte fast vollständig nieder. Bis auf die Kanzel und wenige Überbleibsel fielen die Holzteile den Flammen zum Opfer. Ebenso wurden die Glocken und die Orgel ein Raub der Flammen. Erhalten blieben der Taufstein und grösstenteils die Wandbilder. Dank finanzieller Unterstützung aus dem In- und Ausland konnte der historische Bau wieder erstellt werden.

Ein ganz besonderer Schmuck sind die prachtvollen Wandbilder im Chor: mit ihren rotbraunen und grünen Hauptfarben verleihen sie dem Raum einen warmen Ton. Fragmente zeigen, dass ursprünglich die ganze Kirche mit Malereien geschmückt war. Durch bauliche Veränderungen – Vergrössern der Fenster Anfang des 17. Jahrhunderts – wurde vieles zerstört. Die heute

146
«Mauritius-Kirche», Saanen

noch vorhandenen Wandbilder stammen, so schätzt man, aus der Zeit zwischen 1460 und 1480 und sind das Werk von mindestens zwei Künstlern. Nachdem die Kunstwerke die Reformation heil überstanden hatten, wurden sie im 17. Jahrhundert übertüncht. Erst 1928 holte Karl Lüthi die al secco gemalten Wandbilder unter ihrer Decke hervor. Beim Brand von 1940 kamen die wertvollen Zeugen alter Kunst nochmals zu Schaden. In 10monatiger Arbeit restaurierte Kunstmaler Hans A. Fischer die 60 Wandbilder in Chor und Schiff. Besonders gut gehalten haben sich die Malereien an der Ost- und der Südwand des Chors. Diese Zeugnisse frommer Volkskunst wollen auf die Kraftquellen des christlichen Glaubens hinweisen. Während die Ostwand des Chores den Marienlegenden gewidmet ist, erzählt die Südwand in einer Folge von 12 Bildern die Legende der thebäischen Legion, deren Feldherr, Mauritius, die Kirche geweiht war.

Der gotische Taufstein aus Sandstein stammt aus dem 15. Jahrhundert. Er zeigt auf allen acht Seiten ausgehauene religiöse Bilder: die vier Evangelistensymbole, Jakobus, Maria, Mauritius und Johannes den Täufer. Spuren deuten darauf hin, dass diese Skulpturen einst bemalt waren. Der Taufstein wurde nach der Reformation zwischen das Schiff und den Chor versetzt. Sein früherer Platz war hinten in der Kirche. Während des Brandes von 1940 nahm der Taufstein keinen Schaden.

1813 begannen die Saaner, da das Geld für eine Orgel fehlte, mit der Sammlung von freiwilligen Beiträgen, und schon nach fünf Jahren war die stolze Summe von 4700 Franken beisammen. Zuversichtlich hatte man schon 1816 mit dem Bau begonnen, und noch im gleichen Jahr konnte die Orgel mit acht Registern zum ersten Mal gespielt werden. 1817 wurde das Werk vollendet. 91 Jahre lang versah sie ihren Dienst und wurde dann, weil sie für die grosse Kirche zu klein war, erweitert. Nach dem Brand erhielt die Kirche ein neues Instrument.

Ein ganz besonderes Wahrzeichen der Saanenkirche ist ihr Turm, der nach altalemannischer Sitte an der Nordwand des Chors steht. Seine unten 2½ m dicken Mauern lassen vermuten, dass er in Kriegszeiten als Zufluchtsstätte diente. Sein Helm, eine spitze, achtseitige Pyramide mit interessanter Holzkonstruktion, wurde nach dem Brand von 1940 wieder in der gleichen, nur noch seltenen Form erstellt. Bei dieser Art Turmhelm dürfte es sich um eine der ältesten Ausführungen handeln. Der imposante Turm verfügt über sechs Glocken: Festglocke B, Mittagsglocke es, Vesperglocke f, Feuerglocke g, Wasserglocke b, und die Frauenglocke c.

Ursprünglich befand sich eine Sonnenuhr an der Kirche. Von einer Turmuhr liest man erstmals aus dem Jahre 1696. In seiner letztwilligen Verfügung vermachte der ehemalige Feldweibel von Saanen, Christian Haldi, der Gemeinde Saanen einen Betrag zur Anschaffung einer neuen Turmuhr. 1849 wurde diese Verfügung eröffnet, und im Oktober 1851 brachte der beauftragte Turmuhrmacher, Christian Jakob aus Blindenbach bei Rüederswil, die neue Uhr an. Sie hatte ein beachtliches Ausmass: Durchmesser des äusseren Zifferblattkreises: 4,2 m, Länge der Zeiger: 3,2 m und Länge der Zahlen: 66 cm. Die Uhr musste nach dem Brand von 1940 ersetzt werden.

Wandmalereien in der
Mauritius-Kirche in Saanen

Murals in the Mauritius-Kirche
in Saanen

Les fresques de l'église
Saint-Maurice à Saanen

Affreschi nella Chiesa di S. Maurizio
a Saanen

Pinturas murales de la Iglesia
Mauricio en Saanen

Der Kirche vorgelagert steht die kleine St.-Anna-Kapelle. Sie stammt aus der Zeit vor der Reformation. Die damals katholischen Saaner benannten sie nach der heiligen Anna, der Mutter Marias. Die Glocke im Kapellenturm wurde aus den Überresten der Kirchenglocken nach dem Brand von 1940 gegossen.

Über Jahrhunderte bildete das Saanenland eine gemeinsame Kirchgemeinde mit einem Gotteshaus in Saanen. 1404 kam die dem heiligen Nikolaus gewidmete Kapelle an der Hauptstrasse in Gstaad dazu. 1453 weihte Gsteig, welches erst 1555 eine selbständige Kirchgemeinde wurde, eine Kirche ein, in der seit dem 18. Jahrhundert Bibelsprüche in Fraktur die Wände zieren. Das wohl kleinste Gotteshaus im Kanton Bern steht in Abländschen und datiert aus dem Jahr 1639.

Lauenen gelang es um 1520 eine eigene Pfarrei zu bilden. Die Leute empfanden den Weg nach Saanen zu weit und zu beschwerlich, vor allem im Winter. Ein Lauener holte deshalb 1518 in Rom die päpstliche Erlaubnis zum Bau eines Gotteshauses ein. Im spätgotischen Stil erbaut, weist das nie veränderte Bauwerk noch heute im Schiff die dreiteilige Holzdecke mit der Flachschnitzerei aus dem Jahr 1529 auf. Der Chor verfügt über ein ausserordentliches Netzgewölbe. Die drei Glocken tragen die Jahrzahlen 1484, 1523 und 1605. Das unter Denkmalschutz gestellte Gebäude überstand, mit Ausnahme eines Schadens am Turmhelm im Jahr 1738, alle Stürme heil. Ende der 70er Jahre zeigten sich jedoch Altersbeschwerden durch eindringende Feuchtigkeit. Mit Hilfe von Subventionen und gespendeten Geldern erfuhr das Schmuckstück der Lauener von 1982–83 eine gründliche Überholung ohne bauliche Veränderungen. Die Kosten beliefen sich auf fast eine Million Franken. Während der Renovationszeit suchten Spezialisten unter und neben der Kirche vergebens nach Überresten aus alter Zeit. Die im Innenraum wiederentdeckten Fragmente lassen auf frühere Fresken schliessen. Das Bauwerk ist auch heute noch ohne elektrisches Licht.

1930 baute die römisch-katholische Kirchgemeinde ihre eigene Kirche.

Softly and secretly, a team of horses pulling a cart makes its way from Gstaad to Saanen. The horses' hooves and the wheels of the cart are muffled with rags. The driver's name is Niklas Baumer. The year is 1444. What is going on? Baumer is carrying lumber needed to rebuild the church. Many of the faithful felt that it should be located centrally, and therefore moved from Saanen to Gstaad. Niklas Baumer does not think much of this decision, and he feels that the spot where the former church stood, St. Moritzenbühl in Saanen, is the right place. So the legend goes.

It is certain that Saanen had a house of worship before the present church was built. At that time, Saanen belonged to the deaconate of Château-d'Oex and the bishopric of Lausanne. The cloister of Rougemont, founded in the eleventh century, exerted a right of patronage over the Saanen church. It is believed that Saanen had a church of its own very early on. The distance to Château-d'Oex for all church affairs was considerable. In addition, there were language problems after the Alemanni migrated into the area.

The first mention of a church in Saanen dates back to the year 1228. The Mauritius-Kirche assumed its present form in the years 1444 to 1447. Unfortunately, no records of construction and expenses survive. In the summer of 1447, Bishop Stephanus of Marseille dedicated the church in his capacity as the representative of the Bishop of Lausanne.

Originally, the Mauritius-Kirche, as shown clearly by the triumphal arch and the choir with its round windows, was Romanesque in design, but its fifteenth-century construction is Gothic. The church ceiling is a rare and unusual wooden structure dating from this time, and is largely responsible for the excellent acoustics.

Six wooden pillars support the lofty nave and separate it from the two lower aisles. The three divisions are not so easily noticed because of the present arrangement of the pews. The shifting of the southern wall toward the interior (the first collapsed during construction) produced an unusual displacement of the axes of the nave and choir, but the resultant stress was offset by the asymmetric gallery built in the seventeenth century.

On June 11, 1940, a bolt of lightning struck the tower of the Mauritius-Kirche during a violent thunderstorm. Despite a rapid response by the fire department, major damage was unavoidable: the church burned down almost completely. All the wooden parts fell victim to the flames, except for the pulpit and a few remnants. The bells and the organ were destroyed, but the baptismal font and most of the murals were preserved. Financial support both within Switzerland and from abroad made it possible to rebuild this historic structure.

The splendid murals in the choir are particularly striking: their predominant reddish-brown and green colors lend the area a warm hue. Fragments indicate that the whole church was originally decorated with paintings. Many were destroyed by structural modifications when the windows were enlarged in the early seventeenth century. The murals which remain are estimated to date from the time between 1460 and 1480 and are the work of at least two artists. After these works of art survived the Reformation intact, they were whitewashed over in the seventeenth century. It was not until 1928 that Karl Lüthi revealed the murals, painted al secco, beneath their covering. In the 1940 fire, these valuable historic works were damaged again. Working for ten months, the painter Hans A. Fischer restored the 60 murals in the choir and nave. The paintings on the east and south walls of the choir have been particularly well preserved. These examples of religious folk art bear witness to the strength of the Christian faith. While the east wall of the choir is devoted to the legend of Mary, twelve pictures on the south wall tell the legend of the Theban Legion, to whose leader, Mauritius, the church is dedicated.

The Gothic sandstone font dates from the fifteenth century. It is carved on all eight sides with the symbols of the four evangelists, Jacob, Mary, Mauritius, and John the Baptist. Traces indicate that these sculptures were once painted. After the Reformation, the font was moved from the rear of the church to a position between the nave and the choir. It was undamaged by the 1940 fire.

In 1813 the Saaners, lacking money for an organ, began to collect contributions and after only five years had managed to raise 4700 francs. In the confidence that they would collect the full sum, construction had begun in 1816 and the organ (eight registers) was played for the first time in the same year. The work was completed in 1817. It was played for 91 years and then enlarged because it was too small for the spacious church. The church received a new instrument after the fire.

A distinctive symbol of the Saanen church is its tower, located on the north wall of the choir in the fashion of the old Alemanni. Its walls, two and a half meters thick at the bottom, indicate that it served as a refuge in time of war. Its roof, a pointed eight-sided pyramid with interesting wooden structures, was rebuilt after the 1940 fire to the same unusual shape. This type of tower is an old design. There are six bells: a festival bell, a midday bell, an evening bell, a fire bell, a water bell, and the Frauenglocke ('women's bell').

There was originally a sundial on the church. We first read of a tower clock in 1696. In his will, the former Sergeant of Saanen, Christian Haldi, left a sum to the commune of Saanen for construction of a new tower clock. This will was read in 1849 and in October, 1851 the tower clockmaker, Christian Jacob of Blindenbach bei Rüederswil, installed a new clock. It had generous dimensions: the diameter of the outer dial was 4.2 m, the hands were 3.2 m long, and the numbers were 66 cm long. The clock also had to be replaced after the 1940 fire.

The small chapel of St. Anne stands in front of the church. It dates from the time before the Reformation. The Saaners, who were Catholics at that time, named it after St. Anne, the mother of Mary. The bell in the chapel tower was cast from the fragments of the church bells after the fire of 1940.

For centuries, Saanenland consisted of a swingle parish with a church in Saanen. In 1404, the chapel on the main street of Gstaad, dedicated to St. Nicholas, was added. In 1453 Gsteig, which did not become an independent parish until 1555, dedicated a church in which quotations from the Bible written in Gothic lettering have decorated the walls since the eighteenth century. Probably the smallest church in the Canton of Bern stands in

Abländschen and dates from 1639. Lauenen waited even longer to form a parish of its own. The people felt that the road to Saanen was too long and difficult, especially in winter. Therefore, a Lauener obtained permission in 1518 from the Pope in Rome to build a church. Constructed in late Gothic style, the building, which has never been modified, still shows the tripartite wooden ceiling with wood carvings dating from 1529 in the nave. The choir has an extraordinary net vault. The three bells are dated 1484, 1523, and 1605. The building, which is under historical protection, has survived every storm intact with the exception of damage to the tower in 1738. However, problems caused by penetrating moisture showed up in the late 1970s. With the aid of subsidies and donations, the showpiece of Lauenen was given a thorough overhaul in 1982 to 1983 without any structural modifications. The costs totaled nearly 1 million francs. During the renovation, specialists searched for remnants of older times beneath and beside the church, but in vain. The fragments discovered in the interior hint at earlier frescoes. The building still has no electricity. In 1930 the Roman Catholic parish built its own church.

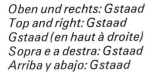

Oben und rechts: Gstaad
Top and right: Gstaad
Gstaad (en haut à droite)
Sopra e a destra: Gstaad
Arriba y abajo: Gstaad

Links unten: Dorfstrasse in Saanen
Bottom left: Dorfstrasse, Saanen
Une rue de Saanen (en bas à gauche)
Sotto a sinistra: Via di Saanen
A la izquierda, abajo: Calle en
Saanen

Il fait nuit. Un char attelé va de Gstaad à Saanen. Roues et sabots s'enten-
dent à peine: ils sont chaussés de sacs de jute. Le cocher discret s'appelle
Niklas Baumer. Nous sommes en 1444. Quel est ce mystère? Baumer transporte des boiseries destinées à la nouvelle église. Selon le vœux de la majo-
rité des croyants, elle devait être centrale, donc construite à Gstaad. Niklas
Baumer ne voulut pas tenir compte de cette décision. Pour lui, l'église devait
se trouver à Saint Moritzenbühl, à Saanen; il conduisait son transport selon
son idée et l'église fut construite là où il avait décidé!

On sait que Saanen avait une église à l'emplacement de l'édifice actuel: elle
faisait partie du diocèse de Château d'Oex et de l'évêché de Lausanne. Le
couvent voisin de Rougemont exerçait un droit patronal sur l'église de Saanen depuis sa fondation, au XIe siècle. On pense que Saanen a dû avoir sa
propre église depuis longtemps déjà car la distance à parcourir jusqu'à Château d'Oex pour toutes les activités ecclésiastiques était importante et la
lente invasion alémanique avait occasionné un problème linguistique dans la
région.

L'église de Saanen est mentionnée pour la première fois en l'an 1228. L'église de Saint-Maurice existe dans sa forme actuelle depuis sa construction,
entre 1444 et 1447. Malheureusement, aucun document officiel ne fournit
plus de renseignements précis sur la construction et sur les frais qu'elle a
occasionnés. Seul le passage de l'évêque Stéphanus de Marseille est men-
tionné en 1447: il était venu en représentation de l'évêque de Lausanne pour
bénir la nouvelle église.

A l'origine, l'église était romane, comme en témoignent encore l'arc en plein
cintre et le chœur aux ouvertures en œils-de-bœuf; le réhaussement de la
voûte est gothique et porte encore un étonnant soutènement de bois très
favorable à l'acoustique générale de l'église.

Six grosses poutres soutiennent la nef centrale et la séparent des nefs laté-
rales, plus basses. Cette architecture originale n'est plus mise en valeur par la
nouvelle organisation des bancs. Le déplacement du mur sud vers l'intérieur,
le premier s'étant effondré en cours de construction, donne un curieux effet
de déplacement axial de la nef et du chœur, optiquement corrigée au XVIIe
siècle par l'adjonction d'une galerie asymétrique.

Le 11 juin 1940, la tour fut touchée par la foudre; les pompiers intervinrent
rapidement mais sans pouvoir éviter le pire: l'église de Saint-Maurice avait
presque entièrement brûlé. La chair et quelques autres objets furent sauvés
des flammes, mais l'orgue et les cloches étaient perdus. L'autel et une partie
des fresques étaient encore dans un état qui permettait de les refaire. Ce ne
fut que grâce au soutien financier du pays et de l'étranger qu'il fut possible de
rénover entièrement l'église brûlée.

Les fresques du chœur sont des merveilles du genre; tenues dans les tons
verts et rouille, elles confèrent une douce chaleur à l'ensemble. Des fragments encore visibles prouvent que toutes les parois de l'église étaient un
jour couvertes de telles fresques, toutes détruites lors de l'agrandissement
des lumières au début du XVIIe siècle. Celles que l'on voit aujourd'hui doivent dater de 1460 à 1480; elles sont l'œuvre d'au moins deux artistes,
après avoir survécu à la réformation, les fresques ont été recouvertes d'une

couche de peinture neutre au cours du XVIIe siècle. En 1928 seulement, Karl Lüthi décapa les parois pour remettre au grand jour les fresques peintes à sec; elles allaient souffrir une fois de plus lorsque l'église devint la proie des flammes. L'artiste peintre Hans A. Fischer prit dix mois à restaurer méticuleusement les soixante fresques du chœur et de la nef, dont celles des parois est et sud du chœur étaient les mieux sauvegardées. La paroi est du chœur est consacrée à l'histoire de la Sainte Vierge; sur la paroi ouest, une suite de douze tableaux trace l'histoire de Saint-Maurice, à qui l'église est dédiée.

Le bénitier gothique du XVe siècle est en grès; ses huit faces sont sculptées d'images religieuses: les quatre symboles évangéliques que sont Jacob, Marie, Maurice et Jean, doivent avoir été peints. A la réformation, le bénitier a été déplacé entre la nef et le chœur alors que son emplacement original est derrière l'église; c'est la raison pour laquelle il n'a pas été détérioré par l'incendie de 1940.

En 1813, l'argent manquant pour l'achat d'un orgue, les gens de Saanen organisèrent une collecte: au bout de cinq ans, ils avaient rassemblé ainsi la somme coquette de 4700 francs. Confiants, ils avaient déjà commencé en 1816 la construction de leur orgue à huit registres; il commença à jouer la même année encore, les derniers travaux s'achevant au cours de l'année suivante. Il servit 91 ans et fut agrandi parce qu'il avait toujours été trop petit pour le volume de l'église. Après l'incendie, on mit un orgue tout neuf.

La tour de l'église est une particularité: elle est accolée au mur nord du chœur, selon la tradition alémanique. Ses murailles, épaisses de deux mètres cinquante à la base, font admettre qu'elle pouvait servir de donjon en cas de conflit. Son faîte octogonal, à la charpente intéressante a été reconstruit après l'incendie de 1940, comme il était auparavant. Il porte six cloches: une cloche de fête en ré, une méridienne en si bémol, une vespérale en fa, un toccin en sol, une cloche d'eau en si et une cloche des femmes en do.

L'église originale portait un cadran solaire et l'horloge est mentionnée pour la première fois en 1696. A sa mort, le maréchal Christian Haldi fit don du montant qui permettrait à la commune de Saanen d'acheter une nouvelle horloge; l'héritage fut publié en 1849 et exécuté en 1851 par Christian Jakob, horloger attitré de la tour. Il ne fit pas son œuvre à moitié puisque son cadran avait 4,2 m de diamètre, sa grande aiguille 3,2 m de long et ses chiffres 66 cm de haut. Cette belle horloge dut également être remplacée après l'incendie de 1940.

Juste devant l'église se trouve la petite chapelle Sainte Anne qui date de la réformation; les habitants de Saanen, catholiques à l'époque, lui donnèrent le nom de la mère de la Sainte Vierge. Sa cloche est le résultat de la refonte des restes des cloches de l'église après l'incendie de 1940.

Des siècles durant, la communauté catholique du Gessenay avait son église unique à Saanen. En 1404 fut construite la chapelle Saint Nicolas sur la route principale à Gstaad; en 1453, Gsteig inaugurait une église qui n'obtint son indépendance en tant que paroisse qu'en 1555 et dont les parois sont couvertes de versets bibliques, en lettres gothiques, depuis le XVIIIe siècle. La plus petite maison de paroisse du canton de Berne est située à Abländschen; elle date de 1639.

Lauenen ne réussit à obtenir sa paroisse que bien plus tard; ses gens trouvaient la route pour Saanen trop longue, trop accidentée et surtout trop désagréable en hiver; c'est pourquoi l'un d'entre eux se rendit en 1518 à Rome chercher une autorisation de construire une église dans son village. Cet édifice se présente à l'heure actuelle comme il a été construit; il est de style gothique flamboyant et sa nef présente toujours la charpente d'origine en trois parties, aux traverses taillées en 1529; le chœur est surmonté d'une voûte à croisillons remarquable et les trois cloches portent les millésimes 1484, 1523 et 1605. Protégée comme un bien patrimonial, cette église a résisté à tous les assauts de la nature, à l'exception d'un orage violent qui décapita la pointe du clocher en 1738. Vers la fin des années 70, on constatait pourtant certains dommages provoqués par l'humidité – des maladies de vieillesse qu'il fut possible de pallier par une réfection complète, faite en 1982/1983 les fonds provenaient en partie seulement de subventions, le reste ayant été réuni grâce à des donnations généreuses; le montant des travaux s'est élevé à près d'un million de francs. Durant toute la période de réfection, des spécialistes cherchèrent, mais en vain, des vestiges d'éventuelles constructions précédentes. Certains fragments trouvés enfouis, mais à l'intérieur du bâtiment, laissent à penser que des murs ont dû être un jour parés de fresques. L'église de Lauenen n'a jamais été électrifiée: elle est dans son état original à cent pour cent!

En 1930, l'église catholique romaine construisit sa propre église à Lauenen.

Anhang

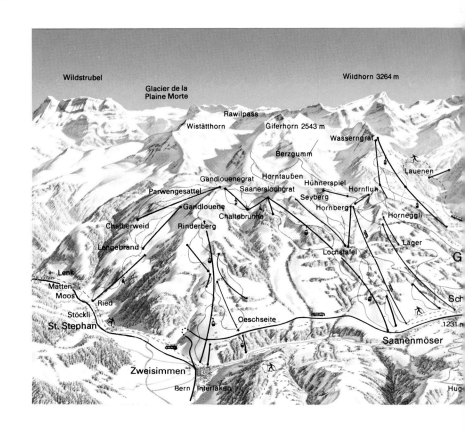

Wildstrubel

Glacier de la
Plaine Morte

Wildhorn 3264 m

Rawilpass

Wistätthorn

Giferhorn 2543 m

Wasserngrat

Berzgumm

Lauenen

Gandlouenegrat

Horntauben

Hühnerspiel

Parwengesattel

Saanerslochgrat

Hornfluh

Seyberg

Gandlouene

Hornberg

Horneggli

Chalberweid

Rinderberg

Chaltebrunne

Lengebrand

Läger

Lochstafel

← Lenk

Matten

G

Moos

Ried

Sch

Stöckli

St. Stephan

Oeschseite

1231 m

Saanenmöser

Zweisimmen

Bern / Interlaken

Hug

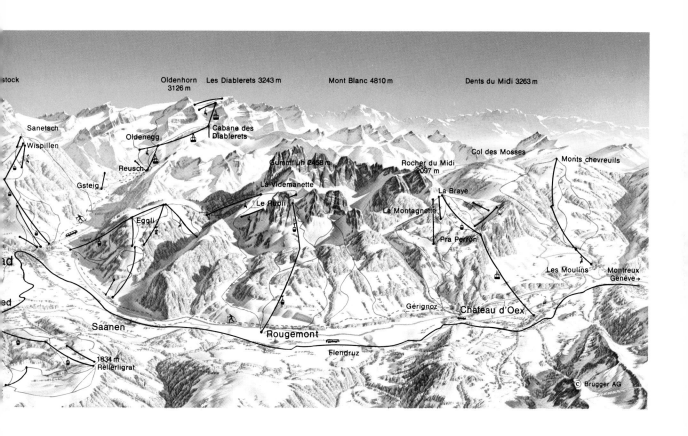

stock

Oldenhorn
3126 m

Les Diablerets 3243 m

Mont Blanc 4810 m

Dents du Midi 3263 m

Sanetsch

Wispillen

Oldenegg

Cabane des
Diablerets

Reusch

Col des Mosses

Gummfluh 2458 m

Rocher du Midi
2097 m

Monts chevreuils

Gsteig

La Videmanette

Le Rubli

La Braye

Eggli

La Montagnette

Pra Perron

Les Moulins

Montreux
Genève →

Gérignoz

Château d'Oex

Saanen

Rougemont

Flendruz

1834 m
Rellerligrat

© Brügger AG

ad

ed

Quellen

Hermann Hartmann: Das grosse Landbuch, Bern-Bümpliz, 1913.

Dr. Gottfried Aebersold: Studien zur Geschichte der Landschaft Saanen, Bern, 1915.

Landschaft Saanen, herausgegeben von den Gemeinden Saanen, Gsteig und Lauenen, Gstaad, 1955.

Christian Rubi: Scherenschnitte, Bern, 1959.

Ruth L. Aebi: Mauritius-Kirche Saanen, Gstaad, 1967.

Alfred von Grünigen: Saanenland – Sonnenland, Gstaad, 1974.

Alfred von Känel: Zimmermannskunst und Hausmalerei im Simmental und Saanenland, Spiez, 1976.

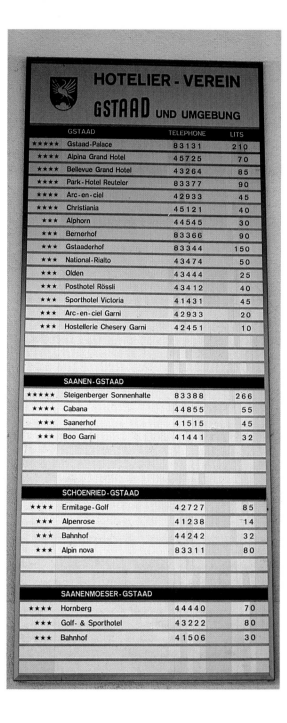

GSTAAD		TELEPHONE	LITS
★★★★★	Gstaad-Palace	8 3 1 3 1	2 1 0
★★★★	Alpina Grand Hotel	4 5 7 2 5	7 0
★★★★	Bellevue Grand Hotel	4 3 2 6 4	8 5
★★★★	Park-Hotel Reuteler	8 3 3 7 7	9 0
★★★★	Arc-en-ciel	4 2 9 3 3	4 5
★★★★	Christiania	4 5 1 2 1	4 0
★★★	Alphorn	4 4 5 4 5	3 0
★★★	Bernerhof	8 3 3 6 6	9 0
★★★	Gstaaderhof	8 3 3 4 4	1 5 0
★★★	National-Rialto	4 3 4 7 4	5 0
★★★	Olden	4 3 4 4 4	2 5
★★★	Posthotel Rössli	4 3 4 1 2	4 0
★★★	Sporthotel Victoria	4 1 4 3 1	4 5
★★★	Arc-en-ciel Garni	4 2 9 3 3	2 0
★★★	Hostellerie Chesery Garni	4 2 4 5 1	1 0
SAANEN-GSTAAD			
★★★★★	Steigenberger Sonnenhalte	8 3 3 8 8	2 6 6
★★★★	Cabana	4 4 8 5 5	5 5
★★★	Saanerhof	4 1 5 1 5	4 5
★★★	Boo Garni	4 1 4 4 1	3 2
SCHOENRIED-GSTAAD			
★★★★	Ermitage-Golf	4 2 7 2 7	8 5
★★★	Alpenrose	4 1 2 3 8	1 4
★★★	Bahnhof	4 4 2 4 2	3 2
★★★	Alpin nova	8 3 3 1 1	8 0
SAANENMOESER-GSTAAD			
★★★★	Hornberg	4 4 4 4 0	7 0
★★★	Golf- & Sporthotel	4 3 2 2 2	8 0
★★★	Bahnhof	4 1 5 0 6	3 0

167